AKZEPTANZ UND BINDUNGSORIENTIERTE THERAPIE (ACT) ARBEITSBUCH

EIN KOMPLETTER LEITFADEN ZUR ACHTSAMKEIT, UM ANGST, DEPRESSION, PANIKATTACKEN UND WUT ZU ÜBERWINDEN

Friedrich Zimmermann

Dieses eBook wird ausschließlich zu dem Zweck bereitgestellt, relevante Informationen zu einem bestimmten Thema zu liefern, für das alle angemessenen Anstrengungen unternommen wurden, um sicherzustellen, dass es sowohl richtig als auch angemessen ist. Mit dem Kauf dieses eBooks erklären Sie sich jedoch damit einverstanden, dass sowohl der Autor als auch der Herausgeber in keiner Weise Experten für die hierin enthaltenen Themen sind, ungeachtet etwaiger Behauptungen, die als solche aufgestellt werden könnten. Daher sind alle Vorschläge oder Empfehlungen, die in diesem Buch gemacht werden, nur zur Unterhaltung gedacht. Es wird empfohlen, dass Sie immer einen Fachmann konsultieren, bevor Sie die hier besprochenen Ratschläge oder Techniken anwenden.

Dabei handelt es sich um eine rechtsverbindliche Erklärung, die sowohl vom Ausschuss der Verlegervereinigung als auch von der American Bar Association als gültig und angemessen angesehen wird und in den Vereinigten Staaten als rechtsverbindlich gelten sollte.

Darüber hinaus werden die Informationen, die auf den hier beschriebenen Seiten zu finden sind, als korrekt und wahrheitsgemäß angesehen, wenn es um die Wiedergabe von Fakten geht. In diesem Sinne ist der Herausgeber von jeglicher Verantwortung für Handlungen, die außerhalb seines direkten Einflussbereichs liegen, befreit, unabhängig davon, ob diese Informationen richtig oder falsch verwendet werden. Ungeachtet dessen gibt es keinerlei Szenarien, in denen der ursprüngliche Autor oder der Verlag in irgendeiner Weise für Schäden oder Unannehmlichkeiten haftbar gemacht werden können, die sich aus den hier besprochenen Informationen ergeben.

Darüber hinaus dienen die Informationen auf den folgenden Seiten nur zu Informationszwecken und sind daher als allgemeingültig zu betrachten. Sie werden naturgemäß ohne Gewähr für ihre fortdauernde Gültigkeit oder vorläufige Qualität präsentiert. Die Erwähnung von Warenzeichen erfolgt ohne schriftliche Zustimmung und kann in keiner Weise als Zustimmung des Warenzeicheninhabers gewertet werden.

Inhalt

KAPITEL 1

EINFÜHRUNG IN DIE AKZEPTANZ- UND VERPFLICHTUNGSTHERAPIE (ACT).

EINFÜHRUNG

Seit geraumer Zeit haben Spezialisten auf dem Gebiet der Psychologie versucht, wissenschaftlich fundierte, zeitlich begrenzte Mediationen für Menschen zu entwickeln, die ihr emotionales Wohlbefinden verbessern wollen. Auf diese Weise haben zahlreiche Menschen große Erfolge bei der Bewältigung einer Reihe von Problemen erzielt und erfahren dadurch einen größeren Wohlstand. In jedem Fall, langfristige Erholung und die Erwartung eines Rückfalls bleiben kritisch als Gebiete der potenziellen Probleme für diejenigen, die auf der Suche nach Behandlung für emotionale Wellness Bedingungen. In letzter Zeit wurden neue Arten der Pflege, einschließlich ACT, mit der Erwartung geschaffen, den langfristigen Erfolg bei der Behandlung von psychischen Erkrankungen zu steigern.

Die ACT basiert auf der sozialen Randhypothese (auch bekannt als relationale Rahmentheorie (RFT)), einer Forschungsrichtung, die sich auf menschliche Sprache und Einsicht konzentriert. Die RFT geht davon aus, dass die normalen Fähigkeiten, die das menschliche Gehirn zur Bewältigung von Problemen einsetzt, unwirksam sind, wenn es darum geht, Menschen bei der Überwindung psychischer

Schmerzen zu helfen. Auf der Grundlage dieser Empfehlung wurde die ACT-Behandlung ins Leben gerufen, um den Menschen beizubringen, dass seelische Schmerzen zwar normal sind, wir aber lernen können, vorteilhafter und gesünder zu leben, indem wir die Art und Weise, wie wir über Schmerzen denken, ändern.

Seit den späten 1990er Jahren wurden zahlreiche Behandlungshandbücher erstellt, in denen Ansätze für die Anwendung von ACT zur Behandlung verschiedener psychologischer Erkrankungen beschrieben werden. Die Behandlung mit diesen Handbüchern wurde experimentell untersucht. Dadurch wurde die Anwendung von ACT bei der Behandlung von Drogenmissbrauch, Psychosen, Angstzuständen, Depressionen, chronischen Schmerzen und Essstörungen unterstützt.

Wir schreiben ACT formell als "act" und nicht als die Initialen A-C-T. Dafür gibt es eine triftige Rechtfertigung. Im Kern ist das ACT eine Verhaltenstherapie: Es ist mit einer Handlung verbunden. Auf jeden Fall handelt es sich nicht um eine beliebige Handlung. Es geht in erster Linie um qualitätsgeleitetes Handeln. Dieses Modell hat eine wichtige existenzielle Komponente: Wofür möchten Sie im Leben stehen? Die Hauptsache, irgendwo in Ihrem Herzen? Womit möchten Sie bei Ihrer Beerdigung in Verbindung gebracht werden? ACT bringt Sie in Kontakt mit der Hauptsache in der 10.000-Fuß-

Sicht: die tiefsten Wünsche Ihres Herzens, wer Sie sein müssen und was Sie während Ihrer kurzen Zeit auf diesem Planeten tun müssen. An diesem Punkt nutzen Sie diese grundlegenden Überzeugungen, um Ihr Verhalten zu lenken, zu überzeugen und zu verändern. Zweitens geht es um "vorsichtiges" Handeln: Handlungen, die Sie bewusst und mit voller Achtsamkeit ausführen - offen für Ihre Erfahrungen und völlig beschäftigt mit dem, was Sie gerade tun. Der Name ACT leitet sich von einer der zentralen Botschaften ab: Erkennen Sie an, was sich Ihrer Kontrolle entzieht, und konzentrieren Sie sich darauf, einen Schritt zu tun, der Ihr Leben verbessert. ACT soll uns dabei helfen, ein reiches, erfülltes und bedeutendes Leben zu führen, während wir den Schmerz, den das Leben unvermeidlich mit sich bringt, ertragen.

ACT tut dies, indem es uns mentale Fähigkeiten zeigt, mit schmerzhaften Überlegungen und Emotionen erfolgreich umzugehen, so dass sie wesentlich weniger Auswirkungen und Folgen haben.

Sie helfen uns zu erklären, was für uns wirklich wichtig und bedeutsam ist - also unsere Qualitäten zu erklären - und diese Informationen zu nutzen, um uns zu lenken, anzuspornen und zu inspirieren, uns Ziele zu setzen und einen Schritt zu machen, der unser Leben voranbringt oder bereichert.

Nicht viele Menschen kommen zu ACT und wagen kopfüber den Sprung. Sie, wie die meisten anderen, tauchen vielleicht zuerst einen Zeh ins Wasser. Als nächstes stecken Sie einen ganzen Fuß hinein, dann ein Knie, ein ganzes Bein. Schließlich landen Sie mit einem Bein im Wasser und einem Bein außerhalb. Und im Großen und Ganzen bleibst du dort für eine lange Zeit, halb, in der Mitte draußen, nicht genau sicher, ob ACT etwas für dich ist. Irgendwann tauchen Sie schließlich ein. Und wenn Sie das tun, stellen Sie fest, dass das Wasser warm, einladend und belebend ist; Sie fühlen sich frei, leicht und genial; und Sie müssen deutlich mehr Energie darin investieren. Wenn das passiert, gibt es in der Regel kein Zurück mehr zu Ihrer alten Arbeitsmethode. (Falls dies noch nicht geschehen ist, hoffe ich, dass es noch vor dem Ende dieses Buches geschehen wird). Eine Erklärung für diese zugrundeliegende Unsicherheit in Bezug auf ACT ist, dass sie die bewährte Denkweise in Frage stellt und die Standardverfahren der meisten westlichen Psychologie umstößt. Zum Beispiel sind die meisten Behandlungsmodelle unglaublich stark auf die Verringerung von Indikationen (Symptomen) ausgerichtet. Sie gehen davon aus, dass die Klienten ihre Nebenwirkungen reduzieren müssen, bevor sie ein besseres Leben führen können.ACT nimmt eine grundlegend außergewöhnliche Position ein. ACT erwartet das:

- Persönliche Zufriedenheit setzt sorgfältiges, von Werten geleitetes Handeln voraus, und

- Es ist denkbar, dass Sie wenig darauf achten, wie viele Anzeichen Sie haben - vorausgesetzt, Sie reagieren mit Sorgfalt auf Ihre Anzeichen.

Anders ausgedrückt: Ein umsichtiges, wertekonformes Leben ist das ideale Ergebnis der ACT, nicht die Verringerung von Nebenwirkungen. Auch wenn ACT in der Regel Anzeichen vermindert, ist dies also niemals das Ziel. (Übrigens, da "wertekompatibles Leben" ein ziemlich bedeutendes Stück ist, werde ich es für den Großteil des Buches auf "wertschätzendes Leben" abkürzen. Tut mir leid, ich weiß, das ist kein unglaubliches Englisch.) Wenn wir also in ACT einem Kunden Pflegefähigkeiten zeigen, geht es nicht darum, seine Anzeichen zu vermindern, sondern darum, seine Beziehung zu seinen Nebenwirkungen dauerhaft zu verändern, damit sie ihn nie wieder von einem wertschätzenden Leben abhalten. Die Tatsache, dass seine Nebenwirkungen nachlassen, wird als "Belohnung" betrachtet und nicht als das zentrale Anliegen der Behandlung.

Wir sagen unseren Kunden nicht: "Wir werden nicht versuchen, Ihre Nebenwirkungen zu verringern!" Warum eigentlich nicht? Weil:

- Dies würde zu einer Vielzahl von sinnlosen und hilfreichen Einschränkungen führen, und

- Wir erkennen, dass die Nebenwirkung Rückgang ist erstaunlich wahrscheinlich. (Trotz der Tatsache, dass wir nie auf sie konzentrieren, in so ziemlich jeder vorläufigen, was ist es alles über? und konzentrieren sich jederzeit auf die ACT getan, gibt es eine bemerkenswerte Indikation Rückgang - wenn auch in einigen Fällen geschieht es allmählich als in anderen Modellen).

Wenn Sie also von Modellen zu ACT kommen, die extrem auf die Verringerung von Nebenwirkungen ausgerichtet sind, ist das wirklich ein enormer Perspektivenwechsel. Glücklicherweise ist die überwiegende Mehrheit - Berater und Kunden - der Meinung, dass es eine befreiende Perspektive ist.

Da ACT im Vergleich zu anderen mentalen Methoden so einzigartig ist, fühlen sich viele Praktizierende anfangs unbeholfen, nervös, hilflos, verwirrt oder unzulänglich. Die erfreuliche Nachricht ist, dass ACT Ihnen die Möglichkeit gibt, mit diesen ganz normalen Gefühlen erfolgreich umzugehen. Und je mehr Sie ACT an sich selbst praktizieren, um Ihr eigenes Leben zu verbessern und Ihre schmerzhaften Themen zu bestimmen, desto erfolgreicher werden Sie es bei Ihren Kunden anwenden. So, genug der Vorrede: Wir sollten beginnen!

AKZEPTANZ- UND VERPFLICHTUNGSTHERAPIE (ACT)

Die ACT gehört zu den psychologischen und Verhaltenstherapien der "dritten Welle". Sie konsolidiert Anerkennungs- und Betreuungsverfahren in der Nähe von Veränderungssystemen, in Anerkennung der Tatsache, dass Veränderung nicht immer denkbar oder attraktiv ist.

Die ACT wird hypothetisch aus der relationalen Rahmentheorie (RFT) abgeleitet, die eine systematische Verhaltensaufzeichnung der funktionalen Eigenschaften der menschlichen Sprache darstellt.

Der ACT-Ansatz geht davon aus, dass Schmerzen und Gebrochenheit aus dem Bestreben entstehen, unangenehme Begegnungen zu kontrollieren oder zu beseitigen.

Das Bestreben, sie zu kontrollieren oder eine strategische Distanz zu ihnen zu wahren, kann die verwirrende Wirkung stärkerer Schmerzen und den Eindruck eines Kontrollverlusts über die Konzentration zur Beseitigung hervorrufen.

Das Ziel von ACT ist es, die mentale Anpassungsfähigkeit zu erhöhen, die als "die gegenwärtige Minute vollständig als ein bewusstes Individuum zu kontaktieren, und abhängig davon, was die Umstände mit sich bringen, das Verhalten in der

Verwaltung der gewählten Werte zu ändern oder beizubehalten" charakterisiert wird.

PROZESSE DER AKZEPTANZ- UND VERPFLICHTUNGSTHERAPIE (ACT)

Das allgemeine Ziel von ACT ist es, die psychologische Flexibilität zu erhöhen - die Fähigkeit, als aufmerksame Person mit der gegenwärtigen Situation vollständig in Kontakt zu treten und das Verhalten zu ändern oder beizubehalten, während dies geschätzten Zusammenhängen dient. Psychologische Flexibilität wird durch sechs zentrale ACT-Formen aufgebaut. Jeder dieser Bereiche wird als eine positive psychologische Einstellung konzeptualisiert, nicht nur als eine Strategie, um sich von Psychopathologie fernzuhalten.

Akzeptanz

Akzeptanz wird als eine Option im Gegensatz zum Ausweichen vor der Erfahrung erzogen. Akzeptanz beinhaltet das aktive und achtsame Erfassen der privaten Anlässe, die durch die eigene Geschichte bedingt sind, ohne überflüssige Bemühungen, ihre Wiederholung oder Struktur zu ändern, insbesondere wenn dies psychischen Schaden verursachen würde. So werden z. B. Spannungspatienten dazu erzogen, Nervosität als Neigung vollständig und ungeschützt zu empfinden; Schmerzpatienten erhalten Strategien, die sie dazu drängen, den Kampf mit den Schmerzen aufzugeben, usw. Akzeptanz (und Defusion) ist in der ACT kein Selbstzweck. Oder vielleicht wird Akzeptanz als eine Strategie zur Ausweitung von auf Wertschätzung basierenden Handlungen gefördert.

Kognitive Defusion

Kognitive Ablenkungsstrategien zielen darauf ab, die unglücklichen Elemente von Gedanken und anderen privaten Anlässen zu verändern, im Gegensatz zu dem Versuch, ihre Struktur, Wiederholung oder situative Beeinflussbarkeit zu ändern. Anders ausgedrückt: ACT versucht, die Art und Weise zu ändern, wie man mit Gedanken interagiert oder sich mit ihnen identifiziert, indem Einstellungen geschaffen werden, in denen ihre nicht hilfreichen Fähigkeiten verringert werden. Es gibt eine Vielzahl solcher Strategien, die für ein breites Spektrum klinischer Einführungen entwickelt wurden. Zum Beispiel könnte ein negativer Gedanke unvoreingenommen beobachtet werden, für alle hörbar aufgewärmt werden, bis sein Klang bleibt, oder als ein aus der Ferne beobachtetes Ereignis behandelt werden, indem man ihm eine Form, Größe, Schattierung, Geschwindigkeit oder Struktur gibt. Ein Individuum könnte seinem Gehirn für eine solche faszinierende Idee danken, den Weg zur Intuition benennen ("Ich habe die

Idee, dass ich nichts Erwähnenswertes bin") oder die aufgezeichneten Betrachtungen, Gefühle und Erinnerungen betrachten, die sich ereignen, während es diese Idee erlebt. Solche Strategien zielen darauf ab, die genaue Natur der Idee zu verringern und die Neigung zu schwächen, die Idee als das zu betrachten, worauf sie anspielt ("Ich bin nichts Erwähnenswertes"), anstatt als das, was sie legitimerweise erlebt wird (z. B. die Idee "Ich bin eine ganze Menge Nichts"). Die Folge der Defusion ist im Allgemeinen eine geringere Inauthentizität privater Anlässe oder eine geringere Verbindung zu ihnen, im Gegensatz zu einer schnellen Veränderung ihrer Wiederkehr.

Gegenwärtig sein

Es fördert den kontinuierlichen, unkritischen Kontakt mit psychologischen und natürlichen Ereignissen, während sie geschehen. Ziel ist es, dass die Kunden die Welt auf legitime Weise erleben, so dass ihr Verhalten zunehmend anpassungsfähig wird und ihre Handlungen immer besser mit den Eigenschaften, die sie besitzen, vorhersehbar sind. Dies wird kultiviert, indem man der Nützlichkeit mehr Autorität über das Verhalten einräumt und indem man die Sprache mehr als Mittel zur Feststellung und Darstellung von Ereignissen nutzt und nicht nur, um sie vorherzusehen und zu beurteilen. Ein

Gefühl des Selbst, das "Selbst als Verfahren" genannt wird, wird aktiv angeregt: die entschärfte, unkritische fortschreitende Darstellung von Überlegungen, Gefühlen und anderen privaten Anlässen.

Selbst-Kontext

Dies ist eine Folge der relationalen Rahmen, z. B. Ich gegen Du, Jetzt gegen Dann und Hier gegen Dort, der menschlichen Sprache, die ein Gefühl des Selbst als Ort oder Standpunkt hervorruft und gewöhnlichen verbalen Menschen eine außergewöhnliche, tiefgründige Seite verleiht. Dieser Gedanke war eine der Keimzellen, aus denen sich sowohl ACT als auch RFT entwickelt haben, und es gibt gegenwärtig immer mehr Beweise für seine Bedeutung für die Sprachfähigkeiten, z. B. für das Mitgefühl, die Theorie des Gehirns, das Selbstgefühl und dergleichen. Kurz gesagt, der Gedanke ist, dass sich das "Ich" über riesige Arrangements von Modellen von Standpunktübernahmebeziehungen entwickelt, aber da dieses Selbstgefühl ein Kontext für verbales Wissen ist, nicht die Substanz dieses Wissens, können seine Abgrenzungspunkte nicht absichtlich bekannt sein. Das Selbst als Kontext ist bis zu einem gewissen Grad bedeutsam, weil man von diesem Standpunkt aus den Verlauf der Begegnungen verstehen kann, ohne mit ihnen verbunden zu sein oder ein Interesse daran zu haben, welche spezifischen Begegnungen stattfinden: Auf diese Weise werden Defusion und Akzeptanz kultiviert. Das Selbst als

Kontext wird in der ACT durch Betreuungsaktivitäten, Analogien und erfahrungsorientierte Verfahren gefördert.

Qualitäten oder Werte

Qualitäten oder Werte sind ausgewählte Merkmale zielgerichteten Handelns, das nie als Objekt gesehen werden kann, aber von Minute zu Minute in Gang gesetzt werden kann. ACT nutzt eine Reihe von Aktivitäten, die es dem Kunden ermöglichen, sich in verschiedenen Bereichen des Lebens zu orientieren (z. B. in der Familie, im Beruf, in der Anderswelt), und unterläuft dabei verbale Verfahren, die zu Entscheidungen führen können, die von Ausweichmanövern, sozialer Kohärenz oder Kombinationen abhängen (z. B. "Ich sollte Wert X haben" oder "Ein großartiger Mensch würde Wert Y haben" oder "Meine Mutter braucht mich, um Wert Z zu haben"). In ACT sind Akzeptanz, Ablenkung, Verfügbarkeit usw. keine Ziele an sich, sondern machen den Weg frei für ein zunehmend fundamentales, werteorientiertes und verlässliches Leben.

Engagierte Aktion

Schließlich regt ACT die Verbesserung von auffälligeren und bedeutenderen Beispielen von praktikablen Handlungen an, die mit ausgewählten Wertvorstellungen verbunden sind. Im Moment sieht es besonders nach konventioneller Verhaltensbehandlung aus, und praktisch jede typischerweise bekannte Strategie zur Verhaltensänderung kann in eine ACT-

Veranstaltung eingepasst werden, einschließlich Einführung, Erlangung von Fähigkeiten, Formungsstrategien, Zielsetzung und so weiter. Im Gegensatz zu Werten, die zwar ständig eingeführt, aber nie wirklich erreicht werden, können solide Ziele, die einen Wert vorhersagen, erreicht werden, und ACT-Konventionen beinhalten häufig Behandlungs- und Schularbeiten, die mit kurz-, mittel- und langfristigen Verhaltensänderungszielen verbunden sind. Die Bemühungen um eine Verhaltensänderung führen somit zu Kontakten mit psychologischen Hindernissen, die durch andere ACT-Formen (Akzeptanz, Defusion usw.) angegangen werden.

WIE ACT FUNKTIONIERT

Der Mensch ist das wichtigste Lebewesen, das bereit ist, Verbindungen (Beziehungen) zwischen Wörtern und Gedanken herzustellen. So können wir zum Beispiel Äpfel und Birnen mit der allgemeinen Idee von Naturprodukten in Verbindung bringen. Während dies für die Vorbereitung unseres allgemeinen Umfelds von unschätzbarem Wert ist, kann es zu Problemen führen, wenn wir harmlose Gedanken mit einem negativen Beispiel verbinden. Nach einiger Zeit kann der Einzelne beginnen, Ideen wie Enttäuschung oder Nutzlosigkeit mit sich selbst in Verbindung zu bringen, was ihm später zunehmend negative Ergebnisse beschert.

ACT lehrt die Patienten, diese Sichtweisen zu erkennen und weiterzugehen, anstatt sie zuzulassen, dass sie sich verfestigen. Pessimistische Erwägungen können zwar vernünftige und richtige Reaktionen auf bestimmte Umstände sein, aber sie charakterisieren nicht die Person, die sie ist, und sollten sie nicht davon abhalten, ihr Leben weiterzuverfolgen.

Wenn Sie einen Spezialisten für den ACT aufsuchen, werden Sie zunächst herausfinden, wie Sie sich darauf einstellen können, wie Sie mit sich selbst sprechen, das sogenannte Selbstgespräch. Das Hauptaugenmerk wird auf Ihrem Selbstgespräch liegen, das schreckliche Missgeschicke und andere schädliche Aspekte Ihres Lebens umfasst, wie unerwünschte Beziehungen, körperliche

Probleme und vieles mehr. Ihr Spezialist wird Ihnen dann dabei helfen, zu entscheiden, ob diese Perspektiven etwas sind, das Sie ändern können, wie z. B. eine komplizierte Beziehung zu verlassen, oder ob Sie anerkennen sollten, wie sie sind, wie z. B. ein körperliches Unvermögen. Wenn Sie die Umstände ändern können, wird Ihr Spezialist Ihnen dabei helfen, Techniken zu entwickeln, mit denen Sie die notwendigen Veränderungen in Ihrem Leben entsprechend Ihren Zielen und Eigenschaften vornehmen können. Falls das Problem etwas ist, das Sie nicht ändern können, können Sie anfangen, soziale Techniken zu erlernen, um mit Ihren Schwierigkeiten umzugehen, damit sie sich nicht so sehr negativ auf Ihr Leben auswirken.

Wenn Sie die gegenwärtigen bedeutenden Probleme in Ihrem Leben verstanden haben, können Sie und Ihr Spezialist damit beginnen, alle Beispiele zu bewerten, die sich vor längerer Zeit entwickelt haben. Auf diese Weise können Sie darauf verzichten, negative Muster später wieder aufzuwärmen. Anstatt mit Ihren Gefühlen zu kämpfen, können Sie herausfinden, wie Sie sie als das erkennen können, was sie sind, und wie Sie mit ihnen oder um sie herum arbeiten können, um das befriedigende Leben zu erreichen, das Sie brauchen.

NUTZEN DER HANDLUNG

Der entscheidende Vorteil der ACT besteht darin, dass sie Patienten bei der Bekämpfung von psychischen Problemen wie Anspannung und Melancholie helfen kann, ohne dass Medikamente eingesetzt werden müssen. Sie schult die Patienten darin, die Art und Weise zu ändern, wie sie sich mit ihren negativen Gedanken und Gefühlen identifizieren, so dass diese Überlegungen nicht mehr dominieren. Die Patienten können zwar nicht jedes einzelne Medikament sofort absetzen, aber sie haben die Möglichkeit, ihre Dosis nach einiger Zeit zu verringern und schließlich von der Verschreibung zurückzutreten. Angesichts der Tatsache, dass der Drogennotstand ein so interessantes Thema im klinischen und psychologischen Bereich ist, ist es vielversprechend, dass es überzeugende Behandlungsmöglichkeiten gibt, die keine Medikamente erfordern.

Auf der wesentlichsten Ebene fordert ACT die Patienten auf, die Dinge anzuerkennen, die außerhalb ihrer Kontrolle liegen, und sich auf andere Überlegungen und Handlungen zu konzentrieren, die ihr Leben verbessern sollen. Anstatt Reue zu empfinden, weil sie negative Überlegungen oder Gefühle haben, entdecken die Patienten, dass negative Gefühle ganz normal sind. Wenn sie die negativen Teile ihres Bewusstseins anerkennen können, ist es den Patienten umso mehr möglich, sich von ihnen zu lösen und einen zunehmend positiven Kurs einzuschlagen. Das Ziel von ACT ist es, die psychologische Flexibilität zu erhöhen. Die Therapeuten unterstützen die Patienten dabei, sich der Art und Weise, wie sie denken und fühlen, mit Hilfe von Betreuungsaktivitäten und -techniken immer bewusster zu werden. Darüber hinaus geht es darum, dauerhafte Verhaltensänderungen herbeizuführen, indem sie sich auf neue Handlungen und überlegte Entwürfe konzentrieren. Die Patienten lernen, ihre Gedanken so anzuerkennen, wie sie sind, und diese Gedanken zu bewerten, um zu entscheiden, ob sie den Lebenszielen des Patienten dienlich sind. Für den Fall, dass die Gedanken nicht hilfreich sind, können die Patienten daran arbeiten, neue, zunehmend positive Überlegungen und Handlungen zu verinnerlichen.

Die Akzeptanz- und Commitment-Therapie (ACT) ist eine besondere Form der Therapie, bei der die Patienten dazu angehalten werden, ihre negativen Gedanken und Gefühle anzunehmen, anstatt zu versuchen, sich von ihnen fernzuhalten oder auf sie zu verzichten. Ausgebildete Fachleute setzen diese Strategie zur Behandlung eines breiten Spektrums von Erkrankungen ein, und sie hat sich für manche Menschen als überraschend wirksam erwiesen.

ACHTSAMKEIT UND HANDELN

Achtsamkeit bedeutet, mit der Gegenwart in Kontakt zu bleiben und nicht in einen programmierten Piloten abzuschweben. Achtsamkeit ermöglicht es einer Person, mit dem beobachtenden Selbst in Kontakt zu treten, dem Teil, von dem sie weiß, der jedoch vom denkenden Selbst getrennt ist. Achtsamkeitsmethoden helfen Menschen häufig dabei, ihre Aufmerksamkeit auf jede der fünf Fähigkeiten sowie auf ihre Gedanken und Gefühle zu lenken.

Achtsamkeit stärkt auch die Fähigkeit, sich von Gedanken zurückzuziehen. Bewegungen, die mit schmerzhaften Emotionen, Wünschen oder Umständen verbunden sind, werden häufig zunächst verringert und anschließend, auf lange Sicht, anerkannt. Akzeptanz ist die Fähigkeit, innere und äußere Erfahrungen zuzulassen, anstatt sie zu bekämpfen oder eine strategische Distanz zu ihnen zu wahren. Wenn jemand glaubt: "Ich bin ein schrecklicher Mensch", kann man ihn bitten, stattdessen zu sagen: "Ich habe die Vorstellung, dass ich ein schrecklicher Mensch bin." Auf diese Weise wird die Person angemessen von der Wahrnehmung isoliert, wodurch sie von ihrer negativen Ladung befreit wird.

Wenn Menschen quälende Gefühle erleben, z.B. Verspannungen, kann man ihnen sagen, sie sollen sich öffnen, hineinatmen oder dem körperlichen Gefühl des Unbehagens

Raum geben und ihm erlauben, dort zu bleiben, ohne es zu verstärken oder zu begrenzen.

THEORIE DER HANDLUNG

Die ACT-Theorie charakterisiert unangenehme, enthusiastische Begegnungen nicht als Indikationen oder Probleme. Sie versucht stattdessen, die Neigung mancher Menschen, die eine Therapie suchen, als geschädigt oder unvollkommen zu betrachten, zu bekämpfen und bedeutet, den Menschen zu helfen, die Ganzheitlichkeit und Wesentlichkeit des Lebens zu verstehen. Diese Gesamtheit umfasst ein breites Spektrum menschlicher Erfahrungen, einschließlich der Qualen, die unvermeidlich mit bestimmten Umständen einhergehen.

Die Akzeptanz von Erstaunlichem, ohne es zu bewerten oder zu versuchen, es zu verändern, ist eine Kompetenz, die durch Achtsamkeitsübungen während der gesamten Sitzung geschaffen wird. ACT versucht nicht, unerwünschte Gedanken oder Gefühle auf legitime Weise zu verändern oder zu stoppen (wie es die kognitive Verhaltenstherapie tut), sondern drängt den Einzelnen dazu, eine andere und liebevolle Beziehung zu diesen Begegnungen aufzubauen. Dieser Schritt kann den Einzelnen von den Schwierigkeiten befreien, die er hat, wenn er versucht, seine Begegnungen zu kontrollieren, und ihn dabei unterstützen, sich zunehmend für Handlungen zu öffnen, die mit seinen Qualitäten, seiner Werteerläuterung und der

Bedeutung von auf Qualitäten basierenden Zielen vereinbar sind, die ebenfalls wichtige Bestandteile der ACT sind.

ZIEL DES GESETZES

ACT zielt darauf ab, ein reiches und bedeutungsvolles Leben zu führen und dabei die Schmerzen zu ertragen, die unvermeidlich damit einhergehen. "ACT" ist eine gute Verkürzung, denn diese Therapie ist mit einer zwingenden Bewegung verbunden, die von unseren tiefsten Qualitäten geleitet wird und in der wir völlig präsent und verhaftet sind. Nur durch achtsames Handeln können wir ein wertvolles Leben gestalten. Während wir uns bemühen, eine solche reale Existenz zu schaffen, werden wir eine breite Palette von Grenzen erfahren, wie entsetzliche und unerwünschte "private Begegnungen" (Gedanken, Bilder, Gefühle, Empfindungen, Triebe und Erinnerungen). ACT kommt zu Achtsamkeitsfähigkeiten als einer erfolgreichen Methode, mit diesen privaten Begegnungen umzugehen.

KAPITEL ZWEI

DEPRESSION

Depressionen sind eine typische Krankheit, von der weltweit über 264 Millionen Menschen betroffen sind. Depressionen sind normale Veränderungen in der Denkweise und flüchtige, leidenschaftliche Reaktionen auf Herausforderungen im normalen Alltag. Vor allem, wenn sie zuverlässig und mit mäßiger oder extremer Kraft auftritt, kann sich die Depression zu einem guten Gesundheitszustand entwickeln. Sie kann dazu führen, dass die betroffene Person unglaublich viel aushält und ineffektiv arbeitet, sich abmüht, in der Schule und in der Familie. Von einem pessimistischen Standpunkt aus betrachtet, kann eine Depression zum Selbstmord führen. Fast 800 000 Menschen nehmen sich regelmäßig das Leben, weil sie sich das Leben nehmen. Selbstmord ist die häufigste Todesursache bei den 15-29-Jährigen. Obwohl es bekannte, erfolgreiche Medikamente für psychische Störungen gibt, erhalten zwischen 76 % und 85 % der Menschen in Ländern mit niedrigem und mittlerem Einkommen keine Behandlung für ihre Verwirrung. Zu den Hindernissen, die einer sinnvollen Behandlung im Wege stehen, gehören fehlende Mittel, das Fehlen vorbereiteter medizinischer Dienstleister und die soziale Schande im Zusammenhang mit psychischen Problemen. Ein weiteres Hindernis für eine sinnvolle Behandlung ist die unangemessene Bewertung. In Ländern aller Gehaltsstufen werden entmutigte

Personen regelmäßig nicht effektiv analysiert, und andere Personen, die nicht an den Turbulenzen leiden, werden immer wieder falsch diagnostiziert und mit Antidepressiva behandelt. Das Gewicht von Depressionen und anderen psychischen Erkrankungen ist im Steigen begriffen, und zwar pauschal.

URSACHEN VON DEPRESSIONEN

Verschiedene Komponenten können die Möglichkeiten der Trauer erweitern, darunter die folgenden:

Missbrauch.

Frühere körperliche, sexuelle oder psychische Misshandlungen können die Hilflosigkeit irgendwann zu klinischem Leid ausweiten.

Bestimmte Medikamente.

Einige Medikamente, wie z. B. Isotretinoin (zur Behandlung von Hautentzündungen), das antivirale Medikament Interferon-alpha und Kortikosteroide, können die Gefahr eines Leidens erhöhen.

Konflikt.

Niedergeschlagenheit bei jemandem, der organisch nicht in der Lage ist, Trauer zu erzeugen, kann aus individuellen Konflikten oder Fragen mit Verwandten oder Gefährten resultieren.

Tod oder ein Unglücksfall.

Ärger oder Melancholie durch das Ableben oder den Verlust eines Freundes oder Familienmitglieds können jedoch die Gefahr des Unglücks vergrößern.

Die Genetik.

Eine familiäre Veranlagung zu Kummer kann gefährlich sein. Man geht davon aus, dass eine Verschlechterung ein verwirrendes Merkmal ist, was bedeutet, dass es wahrscheinlich eine breite Palette von Eigenschaften gibt, die jeweils kleine Auswirkungen haben, und nicht eine einzige Eigenschaft, die zur Krankheitsgefahr beiträgt. Die erblichen Bedingungen des Elends, wie die meisten psychischen Probleme, sind nicht so notwendig oder direkt wie bei absolut genetischen Krankheiten, zum Beispiel Chorea Huntington oder Mukoviszidose.

Wichtige Anlässe.

Sogar große Ereignisse wie der Antritt einer neuen Stelle, der Abschluss eines Studiums oder die Heirat können Traurigkeit auslösen. Das Gleiche gilt für einen Umzug, den Verlust eines

Berufs oder eines Gehalts, eine Trennung oder eine Kündigung. Wie dem auch sei, die Störung der klinischen Traurigkeit ist niemals nur eine "normale" Reaktion auf belastende Lebensereignisse.

Sonstige Einzelfragen.

Probleme, wie z. B. soziale Bindungslosigkeit aufgrund anderer psychischer Störungen oder der Ausschluss aus einer Familie oder einem sozialen Umfeld, können die Gefahr der Entstehung einer klinischen Traurigkeit erhöhen.

Schwere Krankheiten.

Gelegentlich tritt die Traurigkeit zusammen mit einer schweren Erkrankung auf oder wird durch eine andere Krankheit ausgelöst.

Substanzmissbrauch.

Fast 30 % der Personen mit Drogenmissbrauchsproblemen leiden ebenfalls an erheblicher oder klinischer Niedergeschlagenheit. Unabhängig davon, ob Medikamente oder Alkohol zufällig dazu führen, dass man sich besser fühlt, stören sie letztendlich das Unglück.

Familiengeschichte.

Sie sind einem höheren Risiko ausgesetzt, Elend zu verursachen, wenn Sie eine familiäre Vorgeschichte von Trübsinn oder einem anderen Dispositionsproblem haben.

Frühes Jugendtrauma.

Es gibt einige Anlässe, die beeinflussen, wie Ihr Körper auf Angst und beunruhigende Umstände reagiert.

Struktur des Gehirns.

Das Risiko für Trübsinn ist größer, wenn die Frontalprojektion des Gehirns weniger dynamisch ist. Wie dem auch sei, die Forscher haben nicht die geringste Ahnung, ob dies vor oder nach dem Beginn der belastenden Zeichen auftritt.

Medizinische Bedingungen.

Bestimmte Erkrankungen können ein erhöhtes Risiko darstellen, z. B. eine unheilbare Krankheit, eine Schlafstörung, ständige Schmerzen oder eine Aufmerksamkeitsdefizit-/Hyperaktivitätsstörung (ADHS).

STUFEN DER DEPRESSION

Schwere Depressionen (klinische Depressionen)

Ein schweres belastendes Problem, das auch als unipolare oder klinische Depression bezeichnet wird, wird durch ein hartnäckiges Gefühl der Unruhe oder eine Abwesenheit von Begeisterung für äußere Verbesserungen beschrieben. Sie können diese Art von Depression haben, wenn Sie mindestens fünf der begleitenden Nebenwirkungen an den meisten Tagen für etwa vierzehn Tage oder länger haben. Eine der Begleiterscheinungen muss auf jeden Fall in einer entmutigten Gemütsverfassung oder einem Verlust der Begeisterung für Übungen bestehen.

- Verlust des Interesses oder der Lust an Ihren Aktivitäten
- Gefühle von Wertlosigkeit oder Schuld
- Negatives Denken mit der Unfähigkeit, positive Lösungen zu sehen
- Gefühl der Unruhe oder Erregung
- Unfähigkeit zur Konzentration
- Ausrasten gegen geliebte Menschen
- Reizbarkeit
- Rückzug von geliebten Menschen
- Zunahme des Schlafs
- Erschöpfung und Lethargie

- Morbide, selbstmörderische Gedanken
- Gewichtsverlust oder -zunahme

Was ist eine schwere depressive Szene oder Episode?

Eine schwere depressive Phase ist eine Zeit von etwa vierzehn

Tagen oder länger, in der eine Person auf die Nebenwirkungen einer schweren Depression stößt, z. B. Traurigkeit, Verlust der Freude, Schwäche und selbstzerstörerische Überlegungen. Insbesondere muss der Betroffene eine gedrückte Stimmung erleben und zusätzlich die Lust an der Bewegung verlieren.

Ist eine schwere depressive Erkrankung heilbar?

Depressionen sind ein Zustand, der sich im Laufe des Lebens eines Menschen rhythmisch entwickeln kann. Die schwere depressive Erkrankung gilt nicht als "heilbar", aber mit der richtigen Behandlung können die Nebenwirkungen der Depression nach einiger Zeit übersehen und gemildert werden.

Was ist die beste Behandlung für das Problem der schweren Depression?

Es gibt eine Reihe von Behandlungsmöglichkeiten für eine schwere Depression, darunter Psychotherapie, Energizer-Medikamente, psychologische Verhaltenstherapie, Elektrokrampftherapie (EKT) und reguläre Medikamente. Der

Behandlungsplan variiert für jeden Einzelnen je nach seinen individuellen Bedürfnissen; die "beste" Behandlung für eine schwere Depression wird jedoch regelmäßig als eine Mischung aus Medikamenten und Therapie angesehen.

Dysthymie (Anhaltende depressive Störung)

Bei der Dysthymie, auch als anhaltende depressive Störung bezeichnet, handelt es sich um eine langfristige Form der Depression, die über einen längeren Zeitraum anhält und das tägliche Leben, die Arbeit und die Beziehungen beeinträchtigen kann. Menschen mit Dysthymie sind häufig der Meinung, dass es schwer ist, fröhlich zu sein, selbst bei allgemein glücklichen Ereignissen. Sie könnten als düster, negativ oder als Jammerlappen angesehen werden, obwohl sie in der Regel mit einer ständigen psychischen Fehlanpassung zu kämpfen haben. Die Nebenwirkungen der Dysthymie können nach einiger Zeit hin- und hergehen, und die Stärke der Nebenwirkungen kann sich ändern, doch verschwinden die Nebenwirkungen in den meisten Fällen nicht über zwei Monate hintereinander.

Wie unterscheidet sich die Dysthymie von der Major Depression?

Der depressive Gemütszustand, der bei der Dysthymie auftritt, ist nicht so gefährlich wie die Major Depression, bringt aber Gefühle von Ärger, Elend und Verlust der Freude mit sich. Während die depressiven Begleiterscheinungen mindestens zwei Wochen lang vorhanden sein müssen, damit eine schwere depressive Störung festgestellt werden kann, ist für die Feststellung einer Dysthymie eine Mischung aus depressiven Begleiterscheinungen über einen längeren Zeitraum oder länger erforderlich.

Was ist mit "fortgeschrittener" Depression gemeint?

Der Begriff "fortgeschrittene Depression" wird häufig im Zusammenhang mit Dysthymie oder anhaltender depressiver Störung verwendet, denn aufgrund der unaufhörlichen Vorstellung dieser Art von Depression bemühen sich zahlreiche Betroffene weiterhin automatisch um ein unaufrichtiges Leben, das allen um sie herum gut zu gehen scheint.

Was ist eine zweifache Depression?

Die doppelte Depression ist eine komplexe Form der Dysthymie. Nach einiger Zeit erfährt der Großteil der Personen mit Dysthymie eine Verschlimmerung der Nebenwirkungen, die dazu führen, dass sich über die dysthymische Störung hinaus eine schwere Depression entwickelt, was als zweifache Depression bezeichnet wird.

Manische Depression (Bipolare Störung)

Die bipolare Störung, die manchmal auch als manische Depression bezeichnet wird, ist eine Erkrankung des psychischen Wohlbefindens, bei der es zu unerhörten Schwankungen in der Geisteshaltung und zu Veränderungen in der Vitalität, im Denken, im Verhalten und in der Ruhe kommt. Bei einer manischen Depression fühlt man sich nicht einfach nur "traurig"; der depressive Zustand kann zu selbstzerstörerischen Überlegungen führen, die dann in Glücksgefühle und ständige Vitalität übergehen. Diese außergewöhnlichen emotionalen Episoden können zum Beispiel ständig auftreten oder sporadisch - vielleicht nur zwei Mal im Jahr. Mind-Set-Stabilisatoren, zum Beispiel Lithium, kann verwendet werden, um die emotionalen Episoden, die die bipolare Störung begleiten zu kontrollieren, aber die Menschen sind ebenfalls empfohlen, eine breite Palette von Medikamenten, einschließlich Antidepressiva und atypische Antipsychotika.

Ist die bipolare Störung vererbbar?

Die Forscher haben zwar keinen einzigen Hauptfaktor ausgemacht, aber es zeigt sich, dass erbliche Eigenschaften wahrscheinlich etwa 60-80 % des Risikos für die Entstehung einer bipolaren Störung ausmachen, was zeigt, welche

Schlüsselrolle die Vererbung im Moment spielt. Die Gefahr, an einer bipolaren Störung zu erkranken, erhöht sich zusätzlich, wenn Sie einen Verwandten ersten Grades haben, der an dieser Störung leidet.

Kann eine bipolare Störung geheilt werden?

Gegenwärtig gibt es kein Heilmittel für die bipolare Störung, doch kann sie sehr wohl mit einem Behandlungsplan, der eine Mischung aus Medikamenten und Psychotherapie umfasst, wirksam überwacht werden.

Was ist der Unterschied zwischen einer bipolaren 1 und einer bipolaren 2 Störung?

Obwohl die bipolare Störung ein breites Spektrum von außergewöhnlichen Höhen und Tiefen umfasst, besteht der grundlegende Unterschied zwischen Bipolar 1 und Bipolar 2 in der Schwere der manischen Anzeichen. Bei der bipolaren Störung 1 ist der Wahnsinn oder die erhöhte Laune in der Regel schwerer als bei der bipolaren Störung 2. Bei Bipolar 2 kommt es zu einer Hypomanie, einer weniger schweren Form des Wahnsinns, die zu Verhaltensweisen führt, die für den Betroffenen untypisch sind, aber für die Gesellschaft nicht untypisch sind.

Postpartale Depression (Peripartale Depression)

Tragische Gefühle und Heulattacken nach der Geburt werden als "postnatale Angst" bezeichnet. Postnatale Depressionen sind normal und nehmen im Allgemeinen innerhalb von 14 Tagen ab. Diese Art von Elend wird regelmäßig den emotionalen und hormonellen Veränderungen zugeschrieben, die auf die Wehen folgen. Etwa eine von sieben Frauen erlebt etwas Außergewöhnlicheres als die üblichen postnatalen Ängste. In jedem Fall können Frauen, die ein Kind bekommen und einen halben Monat oder länger mit Verbitterung, Anspannung oder Stress zu kämpfen haben, an einer postpartalen Depression (PPD) leiden. Zu den Anzeichen und Nebenwirkungen der PPD gehören:

- Niedergeschlagenheit oder Entmutigung für einen großen Teil des Tages über einen halben Monat oder länger
- Sich weit weg und von geliebten Menschen zurückgezogen fühlen
- Verlust der Begeisterung für Übungen (einschließlich Sex)
- Veränderungen der Ess- und Schlafgewohnheiten
- Müdigkeit während eines großen Teils des Tages
- Sich wütend oder mürrisch fühlen
- Gefühle der Anspannung, des Stresses, der Beunruhigung oder des Grübelns zu haben

Kann eine postpartale Depression sehr lange nach der Zeugung eines Kindes auftreten?

Eine postpartale Depression beginnt nicht sofort nach der Geburt eines Kindes. Anzeichen für eine postpartale Depression können in den ersten Wochen nach der Geburt auftreten. In einigen Fällen beginnen die Nebenwirkungen der PPD jedoch erst Monate nach der Geburt und können sich im Laufe des ersten Lebensjahres des Kindes entwickeln.

Wie kommt es zu einer postpartalen Depression?

Während der spezifische Grund für postpartale Depressionen unklar ist, wird angenommen, dass sie eine Folge einer Reihe von Komponenten sind, einschließlich der körperlichen Veränderungen, die durch die Schwangerschaft entstehen; Spannungen über die Elternschaft; hormonelle Veränderungen; frühere Probleme mit dem psychologischen Wohlbefinden; fehlende Hilfe; eine verwirrende Schwangerschaft oder Beförderung und zusätzlich Veränderungen im Ruhezyklus.

Kann eine postpartale Depression hin und her gehen?

"Frauen, die eine postpartale Depression (PPD) erlebt haben, sind durchweg in Gefahr für zukünftige Temperamentsausbrüche ab dem Zeitpunkt der primären Depressionserfahrung, möglicherweise weil der "Schalter" für diese Ausbrüche nach der PPD umgelegt wird und weil der Druck der Elternschaft nicht nachlässt und sich sogar noch verschlimmern kann, je nachdem, welche mentalen Stressfaktoren kontinuierlich auftreten", sagt Jean Kim, M. D.D. "Für den Fall, dass die Frau Medikamente gegen die depressiven Anzeichen einnimmt, könnten diese aus unbekannten Gründen nach einer Weile ihre Wirkung verlieren, so dass es nicht unverständlich wäre, wenn ein Rückfall eine Weile nach der zugrundeliegenden PPD-Szene auftreten würde."

Saisonal abhängige Depression (SAD)

Die saisonal abhängige affektive Störung (SAD) ist eine Art von Depression, die mit den Unterschieden der Jahreszeiten zusammenhängt. Personen, die unter den Auswirkungen der SAD leiden, melden, dass die Symptome jedes Jahr zu ähnlichen Zeitpunkten beginnen und enden. Bei einigen beginnen die Symptome im Herbst und ziehen sich bis in die Wintermonate hinein; es ist jedoch auch möglich, dass SAD im Frühjahr oder Sommer auftritt. In jedem Fall beginnen die Anzeichen einer

Depression, z. B. Traurigkeit, Erschöpfung und Verlust von Interesse oder Freude an Aktivitäten, sanft und werden im Laufe der Wochen immer gefährlicher. Die Personen, die im Winter an SAD leiden, haben auch die damit einhergehenden, einzigartigen Nebenwirkungen bemerkt:

- Schweregefühl in Armen und Beinen
- Häufiges Ausschlafen
- Heißhunger auf Süßigkeiten/Gewichtszunahme
- Beziehungsfragen

Wie wird die saisonale affektive Störung (SAD) behandelt?

Behandlungspläne für die saisonal abhängige Depression (SAD) können Medikamente, Psychotherapie, Lichttherapie oder eine Mischung dieser Alternativen beinhalten, um die Depressionsanzeichen zu bekämpfen. Eine Gesprächsbehandlung kann für Menschen mit SAD eine unschätzbare Hilfe sein. Ein Psychotherapeut kann Ihnen dabei helfen, Muster im Denken und Verhalten zu erkennen, die Depressionen auslösen, positive Methoden zur Anpassung an die Anzeichen zu erlernen und Entspannungsstrategien zu entwickeln, die Ihnen helfen, die verlorene Vitalität wiederherzustellen.

Kann eine saisonale affektive Störung im späten Frühjahr auftreten?

Die saisonal abhängige Depression (SAD) in den späten Frühlingsmonaten ist typischer, als Sie vielleicht vermuten. Bei etwa 10 % der Menschen mit SAD treten die ersten Anzeichen einer Depression in den späten Frühlingsmonaten auf.

Warum tritt die saisonale affektive Störung auf?

Der spezifische Grund für die saisonal abhängige affektive Störung (SAD) ist noch nebulös; allerdings haben Fachleute eine Reihe von Theorien aufgestellt, die sich mit dem Grund für die Störung befassen und erklären, warum manche Menschen stärkere Nebenwirkungen erfahren als andere. Es wurde empfohlen, dass die Auswirkungen des Lichts, eine gestörte Körperuhr, ein niedriger Serotoninspiegel, ein hoher Melatoninspiegel, schreckliche Lebensereignisse und sogar körperliche Beschwerden mit dem Beginn von SAD in Verbindung gebracht werden.

Psychotische Depression

Wie die National Alliance on Mental Illness angibt, haben etwa 20 Prozent der Menschen mit Depressionen so schwere Symptome, dass sie psychotische Begleiterscheinungen hervorrufen. Der Befund einer schweren depressiven Störung mit psychotischen Begleiterscheinungen kann bei Menschen auftreten, die eine Mischung aus den Anzeichen einer Depression und einer Psychose aufweisen: ein psychischer Zustand, der sich durch zerstreutes Denken oder Verhalten, durch Täuschungen, die als Tagträume bezeichnet werden, oder durch falsche Anblicke oder Klänge, die als Gedankenflüge bezeichnet werden, äußert.

Was sind die ersten Anzeichen einer Psychose?

Als frühe Psychose wird der Zeitraum bezeichnet, in dem eine Person zum ersten Mal den Eindruck hat, den Kontakt zur realen Welt zu verlieren. Zu den ersten Anzeichen einer Psychose gehören Zweifel an anderen, sozialer Rückzug, ernste und unangenehme Gefühle, Schwierigkeiten, klar zu denken, eine Abnahme der häuslichen Sauberkeit und eine Abnahme der Leistung bei der Arbeit oder in der Schule.

Wie wird eine psychotische Depression analysiert?

Um an einer schweren depressiven Störung mit psychotischen Symptomen zu erkranken, muss die Person eine depressive Phase haben, die zwei Wochen oder länger andauert, und Träume und Visualisierungen erleben. Es gibt zwei verschiedene Arten von depressiven Störungen mit psychotischen Symptomen, von denen die beiden bemerkenswert Träume und mentale Reisen umfassen. Einzelne erleben eine schwere depressive Störung mit psychotischen Höhepunkten, die mit dem Geisteszustand kompatibel sind (der Inhalt der Fantasien und Tagträume ist mit depressiven Themen vorhersehbar), oder mit psychotischen Höhepunkten, die mit dem Geisteszustand inkongruent sind (der Inhalt der Träume und Gedankenreisen beinhaltet keine depressiven Themen).

Kann eine psychotische Depression in eine Schizophrenie übergehen?

Die Depression ist eine psychische Störung und die Schizophrenie eine psychotische Erkrankung. Obwohl sowohl die psychotische Depression als auch die Schizophrenie eine Psychose als Nebenwirkung haben, gibt es keinen Grund zu glauben, dass eine psychotische Depression in eine Schizophrenie übergehen würde. Andererseits können Menschen mit Schizophrenie entmutigt werden, wenn sie die Schande verstehen, die mit ihrer Krankheit, der schlechten Prognose und dem Verlust ihrer Fähigkeiten verbunden ist.

Prämenstruelle dysphorische Störung (PMDD)

Bei der prämenstruellen Dysphorie (PMDD) handelt es sich um eine zyklische, hormonell bedingte Befindlichkeitsstörung, die regelmäßig als eine extreme und schwächende Form des prämenstruellen Syndroms (PMS) angesehen wird. Während bis zu 85 % der Frauen unter PMS leiden, wird bei nur etwa 5 % der Frauen eine PMDD festgestellt, wie eine Untersuchung im

American Journal of Psychiatry ergab. Die wichtigsten Anzeichen für PMDD sind entmutigtes Temperament und Nervosität, aber auch Verhaltensauffälligkeiten und körperliche Anzeichen kommen vor. Um PMDD festzustellen, muss eine Frau während des größten Teils der Menstruation des vergangenen Jahres Symptome verspürt haben, die sich wahrscheinlich negativ auf die Arbeit oder das soziale Umfeld ausgewirkt haben.

Was ist der Unterschied zwischen PMDD und PMS?

Die prämenstruelle dysphorische Störung (PMDD) ist ein echterer Zustand als das prämenstruelle Syndrom (PMS). Die Anzeichen, die bei PMS auftreten, beeinträchtigen nicht die normale Leistungsfähigkeit und sind in ihrer Stärke weniger extrem. Während es für Frauen typisch ist, dass sie in den Tagen vor der Periode mit Stimmungsschwankungen zu kämpfen haben, treten die psychischen Nebenwirkungen wie schwere Depressionen, Spannungen und selbstzerstörerische Gedanken bei PMS nicht auf.

Was ist das beste Medikament gegen PMDD?

Für die Nebenwirkungen von PMDD, die mit Geisteshaltung und Unruhe identifiziert werden, kann eine Gruppe von Antidepressiva, die als spezifische Serotonin-Wiederaufnahmehemmer (SSRIs) bezeichnet werden, empfohlen werden; Sertralin, Fluoxetin und Paroxetin-

Hydrochlorid wurden alle von der FDA als Medikamente bestätigt, die zur Linderung der Schmerzen empfohlen werden können.

Wie lange halten die PMDD-Nebenwirkungen an?

Die Anzeichen der prämenstruellen Dysphorie (PMDD) treten in der Regel jeden Monat vor und während des weiblichen Zyklus auf. Die Nebenwirkungen beginnen in der Regel 7-10 Tage vor dem weiblichen Zyklus und nehmen innerhalb von ein paar Tagen nach Beginn der Periode ab. Die Nebenwirkungen verschwinden vollständig bis zur nächsten prämenstruellen Phase.

Atypische Depressionen

Ungeachtet ihres Namens kann die atypische Depression mit Sicherheit eine der auffälligsten Formen der Depression sein. Eine atypische Depression ist nicht ganz dasselbe wie die ständige Verbitterung oder Traurigkeit, die eine Major Depression beschreibt. Sie wird als "Spezifizierer" oder Subtyp der Major Depression angesehen, der ein Beispiel für die Nebenwirkungen der Depression darstellt, einschließlich Einschlafen, Fressen, Miesepetrigkeit, Gewicht in den Armen und Beinen, Empfindlichkeit gegenüber Entlassungen und Beziehungsprobleme. Eines der ersten Anzeichen für eine atypische Depression ist, dass sich der Gemütszustand des entmutigten Menschen nach einem günstigen Ereignis verbessert.

Wie echt ist eine atypische Depression?

Ähnlich wie bei einer Depression ist die atypische Depression ein positiver Zustand des psychischen Wohlbefindens und geht mit einer erhöhten Gefahr von Selbstmord und Spannungsstörungen einher. Atypische Depressionen beginnen regelmäßig in den Jugendjahren, früher als andere Arten von Depressionen, und können einen umso längerfristigeren (konstanten) Verlauf haben.

Wie behandelt man eine atypische Depression?

Atypische Depressionen reagieren gut auf die Behandlung mit diesen beiden Medikamenten und einer Psychotherapie. Monoaminoxidase-Hemmer (MAOIs) und verschiedene Antidepressiva, z. B. SSRIs und trizyklische Antidepressiva, sind die am meisten anerkannten Medikamente, die zur Behandlung atypischer Depressionen empfohlen werden.

Kann eine atypische Depression geheilt werden?

Es gibt keine Patentlösung für die Behandlung atypischer Depressionen, aber eine Mischung aus Medikamenten und Psychotherapie kann sehr wohl wirksam sein. Das Ziel bei atypischen Depressionen ist die Linderung der Beschwerden. Bedenken Sie jedoch, dass bei Depressionen die Gefahr eines erneuten Auftretens sehr groß ist, so dass es wichtig ist, auf wieder auftretende Nebenwirkungen zu achten.

Situative Depression (reaktive Depression/Anpassungsstörung)

Situative Depression, auch reaktive Depression oder Veränderungsstörung genannt, ist eine gegenwärtige, stressbedingte Form der Depression. Sie kann entstehen, nachdem eine Person ein schreckliches Missgeschick oder eine Reihe von Veränderungen in ihrer normalen täglichen Existenz erlebt hat. Zu den Anlässen oder Veränderungen, die eine situative Depression auslösen können, gehören unter anderem: Trennung, Ruhestand, Verlust eines Partners, Krankheit und Beziehungsprobleme. Situationsbedingte Depressionen sind somit eine Art von Veränderungsstörung, da sie aus dem Kampf des Einzelnen mit den eingetretenen Veränderungen entstehen. Bei vielen Menschen, die unter einer situativen Depression leiden, treten die ersten Anzeichen innerhalb von etwa 90 Tagen nach dem auslösenden Ereignis auf.

Inwiefern ist eine situationsbedingte Depression nicht dasselbe wie eine klinische Depression?

Wenn Sie an einer situationsbedingten Depression leiden, werden Sie eine große Anzahl ähnlicher Anzeichen finden wie jemand mit einer schweren depressiven Störung. Der Hauptunterschied besteht darin, dass die situative Depression eine vorübergehende Reaktion ist, die durch ein Ereignis im Leben einer Person ausgelöst wird, und dass die Symptome abklingen, wenn der Stressor nicht mehr besteht oder die Person sich an die Umstände anpassen kann. Im Gegensatz zur situativen Depression wird die schwere depressive Störung als eine Temperamentsstörung angesehen und beinhaltet in der Regel eine unangenehme synthetische Natur im Gehirn.

Wie wird die situative Depression analysiert?

Um an einer situativen Depression zu erkranken, müssen innerhalb von drei Monaten nach einem erkennbaren Stressor psychische und verhaltensbezogene Nebenwirkungen auftreten, die über das hinausgehen, was als übliche Reaktion angesehen werden könnte, und sich innerhalb eines halben Jahres nach Ausschluss des Aggressors verbessern.

Bei wem besteht die Gefahr, dass eine situative Depression entsteht?

Es ist höchst unwahrscheinlich, dass eine Person aus einer Gruppe von Personen, die einem ähnlichen Stressor ausgesetzt ist, eine situative Depression entwickelt. Es ist jedoch davon auszugehen, dass Ihre sozialen Fähigkeiten vor dem Ereignis und die Art und Weise, wie Sie mit Druck umgehen, eine Rolle spielen können.

Disruptive Stimmungsdysregulation (DMDD)

DMDD ist eine wirklich späte Diagnose, die erst 2013 im Diagnostic and Statistical Manual of Mental Disorders (DSM-5) auftauchte. Das DSM-5 charakterisiert DMDD als eine Art belastende Störung, da Kinder, bei denen DMDD festgestellt wurde, damit kämpfen, ihre Stimmungen und Gefühle auf eine angemessene Weise zu bewältigen. Dementsprechend zeigen Kinder mit DMDD Stimmungsumschwünge bei

Unzufriedenheit, entweder verbal oder typischerweise. Mitten in den Veränderungen erleben sie eine unaufhörliche, hartnäckige Zerrissenheit.

Warum ist DMDD nicht dasselbe wie eine bipolare Störung?

Während das wesentliche Element der DMDD die Empfindlichkeit ist, ist das Zeichen der bipolaren Störung die Nähe zu hyper- oder hypomanischen Stimmungen. Obwohl sowohl DMDD als auch die bipolare Störung Grund für Empfindsamkeit sein können, treten hyperaktive Phasen im Allgemeinen nur sporadisch auf, während bei DMDD die gereizte Stimmung schwer und ununterbrochen ist.

Wie wird die DMDD behandelt?

Eine Mischung aus Psychotherapie und Strategien für die Eltern ist der erste Schritt, um den Kindern beizubringen, wie sie ihre Stimmungen und Gefühle kontrollieren können, und um den Erziehungsberechtigten zu zeigen, wie sie mit den Unruhen umgehen können. Dennoch kann auch ein Medikament empfohlen werden, wenn diese Strategien allein nicht überzeugend sind.

Können Jugendliche aus der DMDD herauswachsen?

Jugendliche werden wahrscheinlich nicht aus der DMDD herauskommen, ohne herauszufinden, wie sie ihre Stimmungen und Gefühle angemessen kontrollieren können. Wenn Sie vermuten, dass Ihr Kind an DMDD leidet, sollten Sie sich von einem Psychologen beraten lassen, um eine Analyse und einen Behandlungsplan zu erstellen.

Mit Depressionen zu leben, kann sich wie eine entmutigende Aufgabe anfühlen, die Sie jedoch nicht allein bewältigen müssen. Sie können unseren kostenlosen, klassifizierten Depressionstest als erste Selbsteinschätzung für die Anzeichen einer Depression machen.

Es ist wichtig zu wissen, dass körperliche Krankheiten zusätzlich die Gefahr erhöhen, schwere, belastende Beschwerden zu verursachen. Depressionen können durch eine ganze Reihe von Krankheiten hervorgerufen werden, die sich auf das System des Körpers auswirken, oder durch andauernde Krankheiten, die ständige Schmerzen verursachen. Es ist außergewöhnlich normal unter den Personen, die Krankheiten haben, zum Beispiel, die begleitenden:

- Krebs
- Koronare Erkrankung
- Diabetes

- Epilepsie
- Multiple Sklerose
- Schlaganfall
- Alzheimer-Krankheit
- HIV/AIDS
- Systemischer Lupus erythematodes
- Rheumatoide Gelenkschmerzen

Darüber hinaus können Depressionen durch bestimmte Substanzen und Medikamente ausgelöst werden. Seien Sie daher bereit, mit Ihrem Psychologen ein offenes Gespräch über Ihren Alkoholkonsum und die Einnahme von Medikamenten zu führen.

Wenn Sie glauben, dass Sie an einer dieser verschiedenen Arten von Depressionen leiden, empfehlen wir Ihnen, sich an Ihren Hausarzt oder einen Experten für psychische Gesundheit zu wenden, damit Sie die nötige Entschlossenheit, Behandlung und Unterstützung erhalten.

ANZEICHEN UND SYMPTOME EINER DEPRESSION

Eine Depression kann mehr sein als ein ständiger Zustand der Verbitterung oder ein Gefühl der "Trübsal".

Eine ausgeprägte Depression kann eine Reihe von Anzeichen verursachen. Einige beeinflussen Ihre Stimmung, andere Ihren Körper. Die Nebenwirkungen können ebenfalls fortschreitend sein oder in alle Richtungen gehen.

Die Nebenwirkungen von Depressionen können bei Männern, Frauen und Jugendlichen auf unerwartete Art und Weise unterschiedlich ausgeprägt sein.

Bei Männern können Nebenwirkungen auftreten, die mit ihrem:

- Stimmung: z. B. Empörung, Eindringlichkeit, Rührseligkeit, Unbehagen, Angst
- Emotionaler Wohlstand: z. B. das Gefühl der Leere, des Elends und der Traurigkeit
- Verhalten: z. B. Verlust der Faszination, keine Freude mehr an geliebten Übungen, effektive Müdigkeit, Selbstmordgedanken, exorbitanter Alkoholkonsum, Drogenkonsum, Teilnahme an gefährlichen Übungen
- Sexuelle Intrigen: z. B. vermindertes sexuelles Verlangen, Abwesenheit von sexuellen Handlungen
- Kognitive Fähigkeiten: z. B. Unkonzentriertheit, Schwierigkeiten bei der Erledigung von Besorgungen, verzögerte Reaktionen bei Diskussionen
- Schlafentwürfe: z. B. eine Schlafstörung, unruhige Ruhe, übermäßige Müdigkeit, nicht den ganzen Abend durchschlafen

- körperliches Wohlergehen: z. B. Erschöpfung, Schmerzen, Migräne, Magenprobleme.

Bei Frauen kann es zu Nebenwirkungen kommen, die mit dem Medikament in Verbindung gebracht werden:

- Stimmung: zum Beispiel Mürrischkeit
- Emotionaler Wohlstand: z. B. das Gefühl von Tragik oder Leere, Nervosität oder Traurigkeit
- Verhalten: z. B. Verlust der Begeisterung für Übungen, Rückzug aus dem sozialen Engagement, Grübeln.
- die kognitiven Fähigkeiten: z. B. das Denken oder Sprechen, das immer mehr zunimmt
- Schlafmuster: z. B. Schwierigkeiten, den ganzen Abend durchzuschlafen, frühes Aufwachen, übermäßiges Einschlafen
- körperliches Wohlbefinden: z. B. verminderte Vitalität, stärkere Müdigkeit, verändertes Hungergefühl, Gewichtsveränderungen, Schmerzen, Migräne, erweiterte Probleme

Bei Kindern kann es zu Nebenwirkungen kommen, die mit dem Medikament in Verbindung gebracht werden:

- Stimmung: z. B. Empfindlichkeit, Empörung, Stimmungsschwankungen, Weinen

- emotionaler Wohlstand: z. B. Gefühle der Unfähigkeit (z. B. "Ich kann nichts richtig machen") oder Hoffnungslosigkeit, Weinen, außergewöhnliches Mitleid

- Verhalten: z. B. Schwierigkeiten in der Schule oder Weigerung, zum Unterricht zu gehen, Ausweichen vor Freunden oder Verwandten, Gedanken an Tod oder Selbstmord
- kognitive Fähigkeiten: z. B. Konzentrationsschwierigkeiten, nachlassende schulische Leistungen, Veränderungen der Noten
- Schlafmuster: z. B. Schwierigkeiten beim Ausruhen oder übermäßiges Einschlafen
- körperliches Wohlbefinden: z. B. Verlust von Vitalität, Magenprobleme, Veränderungen des Hungergefühls, Gewichtsabnahme oder -zunahme

ERKRANKUNGEN, DIE SICH DURCH DEPRESSIONEN VERSCHLIMMERN

Folgende Erkrankungen können sich durch Depressionen verschlimmern: Arthritis, Asthma, Herz-Kreislauf-Erkrankungen, Krebs, Diabetes und Fettleibigkeit.

Arthritis

Arthritis ist eine Verschlimmerung der Gelenke. Sie kann entweder einen einzelnen Knochen oder mehrere Gelenke betreffen. Es gibt mehr als 100 verschiedene Arten von Gelenkschmerzen mit unterschiedlichen Ursachen und Behandlungstechniken. Zwei der bekanntesten Arten sind Osteoarthritis (OA) und rheumatoide Gelenkentzündung (auch rheumatoide Arthritis (RA) genannt).

Die Nebenwirkungen einer Gelenkentzündung treten in der Regel nach einiger Zeit auf, können aber auch aus dem Nichts kommen. Gelenkentzündungen treten in der Regel bei Erwachsenen über 65 Jahren auf, können aber auch Kinder, Jugendliche und Erwachsene betreffen. Gelenkschmerzen sind typischer für Frauen als für Männer und für Personen, die übergewichtig sind.

Arten von Arthritis

Osteoarthritis (OA) ist eine häufige Erkrankung, die durch den Abbau von Gelenkbändern und Knochen entsteht. Die bekanntesten Anzeichen sind Gelenkschmerzen und Steifheit. In der Regel schreiten die Anzeichen im Laufe der Jahre allmählich voran.

Rheumatoide Gelenkschmerzen sind eine langfristige, dynamische und behindernde Infektion des Immunsystems. Sie verursacht Reizung, Wachstum und Schmerzen in und um die Gelenke und andere Körperorgane.

Rheumatische Gelenkentzündungen betreffen meist zuerst die Hände und Füße, können aber in jedem Gelenk auftreten. In der Regel betrifft sie ähnliche Gelenke auf beiden Seiten des Körpers.

Zu den grundlegenden Anzeichen gehören steife Gelenke, vor allem nach dem morgendlichen Arbeitstempo oder nach einem längeren Sturz. Einige Menschen erleben häufig Schwäche und ein allgemeines Gefühl des Unwohlseins.

Verursacht Gelenkentzündungen

Ein Band ist ein festes, aber anpassungsfähiges Bindegewebe in Ihren Gelenken. Es sichert die Gelenke, indem es das Gewicht und die Erschütterungen auffängt, die entstehen, wenn Sie sich bewegen und Druck auf sie ausüben. Eine Abnahme des Standardmaßes dieses Bandgewebes verursacht einige Arten von Gelenkentzündungen.

Die typische Laufleistung verursacht OA, eine der bekanntesten Arten von Gelenkschmerzen. Verunreinigungen oder Verletzungen der Gelenke können diesen normalen Abbau des Bändergewebes verstärken. Das Risiko, an OA zu erkranken, kann höher sein, wenn die Krankheit in Ihrer Familie vorkommt.

Eine andere häufige Form der Gelenkentzündung, RA, ist eine Störung des Immunsystems. Sie tritt auf, wenn die körpereigene Immunabwehr das Gewebe des Körpers angreift. Diese Angriffe beeinflussen die Synovialis, ein empfindliches Gewebe in den Gelenken, das eine Flüssigkeit liefert, die die Bänder ernährt und die Knochen schmiert.

RA ist eine Erkrankung der Synovialis, die ein Gelenk angreift und dezimiert. Sie kann schließlich zur Pulverisierung von Knochen und Bändern im Gelenk führen.

Der spezifische Grund für die Angriffe des resistenten Gerüsts ist unklar. Forscher haben jedoch genetische Marker gefunden, die das Risiko, an RA zu erkranken, um das Fünffache erhöhen.

Die Anzeichen für Gelenkschmerzen

Gelenkschmerzen, Erstarrung und Wachstum sind die bekanntesten Nebenwirkungen von Gelenkentzündungen. Ihr Bewegungsspielraum kann sich ebenfalls verringern, und es kann zu Rötungen der Haut um das Gelenk herum kommen. Viele Menschen mit Gelenkentzündungen bemerken, dass ihre Nebenwirkungen zu Beginn des Tages schlimmer sind.

Aufgrund von RA können Sie sich müde fühlen oder aufgrund der Reizung, die die Bewegung des resistenten Gerüsts verursacht, kein Verlangen mehr verspüren. Sie können auch schwächer werden - was bedeutet, dass die Zahl der roten Blutkörperchen abnimmt - oder leichtes Fieber bekommen. Schwere RA kann unbehandelt zu Gelenkverformungen führen.

Asthma

Asthma ist eine Langzeiterkrankung der Lunge. Ihr Hausarzt wird es als eine hartnäckige Atemwegserkrankung bezeichnen. Sie führt dazu, dass Ihre Atemwege aufgeregt und dünn werden und das Atmen mühsam wird. Husten, Keuchen, Kurzatmigkeit und Engegefühl in der Brust sind beispielhafte Asthma-Anzeichen.

Zu den Komponenten von Asthma gehören:

- Genetik: Wenn ein Elternteil Asthma hat, ist es vorprogrammiert, dass man selbst Asthma hat.
- Vorgeschichte mit viralen Infektionen: Personen mit einer Vorgeschichte, die durch Viruserkrankungen in der Jugend geprägt ist, sind dazu verpflichtet, die Krankheit zu entwickeln.
- Hygiene-Theorie: Diese Spekulation besagt, dass Kinder in ihren ersten Monaten und Jahren nicht genügend Mikroben ausgesetzt sind. Dementsprechend ist ihr Schutzsystem nicht ausreichend in der Lage, Asthma und andere Erkrankungen abzuwehren.
- Frühzeitige Allergenpräsentation: Der Kontakt mit potenziellen Allergenen und deren Verschlimmerung kann Ihr Risiko, an Asthma zu erkranken, erhöhen.

Nebenwirkungen von Asthma

- Krankheit: Atemwegserkrankungen, z. B. die Erkältungsviren dieser Saison und Lungenentzündungen, können Asthmaanfälle auslösen.
- Bewegung: Durch die zunehmende Entwicklung kann die Atmung immer schwieriger werden.
- Reizstoffe sind überall spürbar: Menschen mit Asthma reagieren möglicherweise empfindlich auf Reizstoffe, z. B. synthetische Abgase, feste Düfte und Rauch.

- Allergene: Tierhaare, Ungeziefer und Staub sind nur ein paar Beispiele für Allergene, die Nebenwirkungen auslösen können.
- Extreme klimatische Bedingungen: Hohe Feuchtigkeit oder niedrige Temperaturen können Asthma auslösen.
- Emotionen: Schreien, Glucksen und Weinen können einen Angriff auslösen.

Kardiovaskuläre Erkrankungen

Herz-Kreislauf-Erkrankungen, die auch als Herzleiden bezeichnet werden, sind derzeit die häufigste Todesursache auf der Welt, wie die Centers for Disease Control and Prevention (CDCP), eine vertrauenswürdige Quelle, berichten. In der Welt ist 1 von vier Todesfällen die Folge von Herzkrankheiten. Das sind rund 610.000 Menschen, die jedes Jahr an dieser Krankheit sterben.

Herz-Kreislauf-Erkrankungen sind nicht trennscharf. Sie ist die Haupttodesursache für einige Bevölkerungsgruppen, darunter Kaukasier, Hispanoamerikaner und Afroamerikaner. Praktisch 50 % der Amerikaner sind von einer Herzerkrankung bedroht, und die Zahl steigt weiter.

Koronarerkrankungen können zwar zerstörerisch sein, sind aber in den allermeisten Fällen vermeidbar. Wenn Sie sich frühzeitig eine zuverlässige Lebensweise angewöhnen, können Sie länger mit einem vorteilhaften oder gesunden Herzen leben.

Symptome von Herz-Kreislauf-Erkrankungen

Die Anzeichen von Herz-Kreislauf-Erkrankungen können bei den Menschen unterschiedlich sein. Männer haben zum Beispiel Schmerzen in der Brust, während bei Frauen neben dem Unwohlsein in der Brust auch andere Nebenwirkungen auftreten können, zum Beispiel Kurzatmigkeit, Übelkeit und außergewöhnliche Müdigkeit.

Zu den Nebenwirkungen können gehören:

- Schmerzen in der Brust, Engegefühl in der Brust, Schweregefühl in der Brust und Unannehmlichkeiten in der Brust (Angina pectoris)
- Kurzatmigkeit
- Schmerzen, Engpässe oder Frösteln in den Beinen oder Armen, wenn die Venen in diesen Körperteilen eingeschränkt sind
- Schmerzen im Nacken, Kiefer, Hals, oberen Bauchbereich oder Rücken

Krebs

Krebs ist eine Ansammlung von Krankheiten, die eine unregelmäßige Zellentwicklung beinhalten und die Möglichkeit haben, verschiedene Teile des Körpers anzugreifen oder sich dort auszubreiten. Diese unterscheiden sich von gutartigen Tumoren, die sich nicht ausbreiten.

Depressionen sind bei Menschen, die mit bösartigem Wachstum leben, sehr häufig. Wie die American Cancer Society angibt, leidet etwa 1 von 4 Betroffenen an einer klinischen Depression.

Die klinische Depression, die auch als Major Burdensome Disorder (MDD) bezeichnet wird, ist eine psychische Störung, die in jedem Fall durch eine zweiwöchige gedrückte Stimmung beschrieben wird, die unter den meisten Umständen auftritt.

Zu den Anzeichen, die ein bösartiges Wachstum verursachen kann, gehören unter anderem:

- Veränderungen an der Brust
- Ein Knoten oder eine feste Neigung in Ihrer Brust oder unter Ihrem Arm
- Änderung oder Freigabe der Brustwarze
- Haut, die lästig, rot, schuppig, faltig oder runzlig ist
- Veränderungen in der Blase
- Schwierigkeiten beim Pinkeln
- Schmerzen beim Pinkeln
- Blut im Urin
- Entleerung oder Verwundung ohne erkennbaren Grund

Veränderungen in den Eingeweiden

- Blut im Stuhlgang
- Veränderungen der Entrailungsneigung
- Hack oder Rauheit, die nicht weggeht
- Essensprobleme
- Schmerzen nach dem Essen (saurer Reflux oder Sodbrennen, das nicht verschwindet)
- Schwierigkeiten beim Schlucken
- Schmerzen im Bauch
- Übelkeit und Erbrechen
- Appetitänderungen
- Extreme und anhaltende Erschöpfung
- Fieber oder nächtliche Schweißausbrüche ohne bekannten Grund

Veränderungen im Mund

- Ein weißer oder roter Fleck auf der Zunge oder in Ihrem Mund
- Blutungen und Schmerzen in der Lippe oder im Mund

Neurologische Probleme

- Kopfschmerzen

- Krampfanfälle
- Visionen ändern sich
- Änderungen des Gehörs
- Absinken des Gesichts

Hautveränderungen

- Eine gewebeschattierte Beule, die abfließt oder sich in Schichten verwandelt
- Ein neues Muttermal oder eine Anpassung eines bestehenden Muttermals
- Eine Wunde, die sich nicht erholt
- Gelbsucht (Gelbfärbung der Haut und des Weißen in den Augen)
- Wucherungen oder Vorwölbungen an beliebigen Stellen, z. B. am Hals, in den Achselhöhlen, am Bauch und im Schritt
- Gewichtszunahme oder -abnahme ohne bekannten Grund

Veränderungen in der Blase

- Schwierigkeiten beim Wasserlassen
- Schmerzen beim Urinieren

- Blut im Urin

Entleerung oder Verwundung ohne erkennbaren Grund

Veränderungen im Darm

- Blut im Stuhlgang
- Scharniere in den Darmneigungen

Hack oder Trockenheit, die nicht verschwindet

Probleme beim Essen

- Schmerzen nach dem Essen (saurer Reflux oder Sodbrennen, das nicht nachlässt)
- Schwierigkeiten beim Schlucken
- Bauchquälerei
- Übelkeit und Erbrechen
- Appetitänderungen
- Schwäche, die extrem ist und immer wieder auftritt
- Fieber oder nächtliche Schweißausbrüche ohne bekannten Grund

Neurologische Probleme

- Kopfschmerzen
- Krampfanfälle
- Visionen ändern sich
- Änderungen des Gehörs
- Absinken des Gesichts

5**Diabetes mellitus**, auch bekannt als Zuckerkrankheit, ist eine Stoffwechselkrankheit, die einen hohen Blutzuckerwert verursacht. Das Hormon Insulin transportiert Zucker aus dem Blut in die Zellen, um ihn dort einzulagern oder für die Vitalität zu nutzen. Bei Diabetes stellt Ihr Körper entweder nicht genügend Insulin her oder kann das hergestellte Insulin nicht erfolgreich nutzen.

Ein unbehandelter hoher Blutzuckerspiegel bei Diabetes kann Ihre Nerven, Augen, Nieren und andere Organe schädigen.

Es gibt eine Reihe verschiedener Arten von Diabetes:

Typ-1-Diabetes: Es handelt sich um eine Infektion des Immunsystems. Das unempfindliche Gerüst greift Zellen in der Bauchspeicheldrüse an, wo das Insulin hergestellt wird, und vernichtet sie. Es ist unklar, was diesen Angriff verursacht. Etwa 10 Prozent der Menschen mit Diabetes haben diesen Typ.

Typ-2-Diabetes: Tritt auf, wenn der Körper nicht mehr auf Insulin anspricht und sich Zucker im Blut bildet.

Von Prädiabetes spricht man, wenn der Blutzuckerspiegel höher ist als üblich, aber nicht hoch genug, um auf Typ-2-Diabetes zu schließen.

Schwangerschaftsdiabetes: Diese Form der Zuckerkrankheit entsteht durch einen hohen Blutzuckerspiegel während der Schwangerschaft - insulinhemmende Hormone, die von der Plazenta gebildet werden, verursachen diese Art von Diabetes.

Zu den allgemeinen Symptomen von Diabetes gehören:

- erhöhter Hunger
- erhöhter Durst
- Gewicht unglücklich
- häufiges Pinkeln
- verschwommene Sicht
- extreme Erschöpfung
- Wunden, die sich nicht erholen

Fettleibigkeit: Dies ist eine Erkrankung, bei der das Verhältnis von Muskeln zu Fett so stark zugenommen hat, dass es sich negativ auf die Gesundheit auswirkt. Menschen gelten gemeinhin als fett, wenn ihr BMI, eine Schätzung, die durch Isolierung der Last einer Person durch das Quadrat ihrer Statur ermittelt wird, mehr als 30 kg/m2 beträgt; der Bereich von 25-30 kg/m2 wird als übergewichtig bezeichnet. Einige ostasiatische Länder verwenden niedrigere Werte. Adipositas erhöht die Wahrscheinlichkeit verschiedener Krankheiten und Zustände, insbesondere kardiovaskuläre Infektionen, Typ-2-Diabetes, obstruktive Schlafapnoe, bestimmte Arten von bösartigem Wachstum, Osteoarthritis und Traurigkeit.

Fettleibigkeit ist eine Plage in der Welt. Dieser Zustand setzt den Einzelnen einem höheren Risiko für echte Krankheiten aus. Außerdem können laut den Centers for Disease Control and Prevention (CDCP) "Faktoren wie Alter, Geschlecht, ethnische Zugehörigkeit und Masse den Zusammenhang zwischen BMI (Body Mass Index) und Muskeln bzw. Fett beeinflussen. Außerdem erkennt der BMI weder ein Übermaß an Fett, Muskeln oder Knochenmasse, noch gibt er einen Hinweis auf die Verteilung von Fett bei Menschen."

Ursachen von Fettleibigkeit

Wenn man viel mehr Kalorien isst, als man durch tägliche Bewegung und Sport (auf lange Sicht) verbraucht, führt dies zu Übergewicht. Nach einiger Zeit nehmen diese zusätzlichen Kalorien zu und führen dazu, dass Sie an Gewicht zunehmen.

Zu den regelmäßigen ausdrücklichen Gründen für Fettleibigkeit gehören:

- eine nicht gerade optimale Ernährung mit fett- und kalorienreichen Lebensmitteln
- Eine stationäre (schlafende) Lebensweise zu haben.
- Sie haben zu wenig geschlafen, was zu hormonellen Veränderungen führen kann, die Sie hungriger machen und den Wunsch nach bestimmten ungesunden Nahrungsmitteln wecken.
- Genetische Faktoren, die beeinflussen können, wie Ihr Körper Nahrung in Vitalität umwandelt und wie Fett abgebaut wird.
- Sie werden reifer, was zu weniger Masse und einem langsameren Stoffwechsel führen kann, was eine Gewichtszunahme erleichtert.
- Schwangerschaft (während der Schwangerschaft aufgenommenes Gewicht lässt sich nur schwer wieder abbauen und kann unweigerlich zu Fettleibigkeit führen).

Bestimmte Krankheiten können ebenfalls zu einer Gewichtszunahme führen. Dazu gehören:

- Polyzystische Ovarialstörung: eine Erkrankung, die eine Störung der weiblichen regenerativen Hormone verursacht
- Prader-Willi-Syndrom: ein ungewöhnlicher Zustand, mit dem ein Individuum auf die Welt kommt und der ein unangemessenes Verlangen hervorruft
- Cushing-Syndrom: ein Zustand, der durch eine unnötige Menge des Hormons Cortical in Ihrem Körper entsteht
- Hypothyreose (Schilddrüsenunterfunktion): eine Situation, in der das Schilddrüsenorgan bestimmte wichtige Hormone nicht in ausreichender Menge abgibt
- Osteoarthritis (und andere Erkrankungen, die Qualen verursachen, die zum Nichtstun führen können).

Symptome von Fettleibigkeit

Obwohl eine Zunahme von ein paar zusätzlichen Pfunden zweifellos unwichtig erscheinen mag, kann sich die Gewichtszunahme schnell zu einer echten Krankheit auswachsen.

Die Nebenwirkungen der Fettleibigkeit können sich negativ auf das tägliche Leben einer Person auswirken. Für Erwachsene, einige Symptom umfasst:

- Überschüssige Muskeln im Vergleich zu Fettansammlungen (vor allem um die Körpermitte)
- Kurzatmigkeit
- Schwitzen (mehr als erwartet)
- Schnarchen
- Schwierigkeiten beim Dösen
- Hautprobleme (durch Feuchtigkeitsansammlungen in den Hautfalten)
- Unfähigkeit, einfache körperliche Aufgaben auszuführen (die man vor der Gewichtszunahme ohne große Anstrengung ausführen konnte)
- Müdigkeit (von leicht bis außergewöhnlich)
- Schmerzen (im Allgemeinen im Rücken und in den Gelenken)
- Psychische Schwankungen (negatives Selbstvertrauen, Traurigkeit, Schande, soziale Isolation)

- Thema Essen
- Fettgewebespeicher (kann in der Busenregion spürbar sein)
- Das Auftreten von Dehnungsstreifen an den Hüften und am Rücken
- Acanthosis nigricans (stumpfe, glatte Haut am Hals und an anderen Stellen)
- Kurzatmigkeit bei körperlicher Anstrengung
- Schlafapnoe
- Verstopfung
- GI-Reflux
- Geringes Vertrauen
- Frühe Adoleszenz bei jungen Frauen/aufgeschobene Pubeszenz bei jungen Männern
- Orthopädische Probleme (z. B. schiefe Füße oder ungleiche Hüften)

KAPITEL DREI

EIN KOMPLETTER LEITFADEN ZUR ACHTSAMEN VERÄNDERUNG UND GENESUNG VON ÄNGSTEN

Achtsamkeit bedeutet, Minute für Minute die Aufmerksamkeit auf unsere Gedanken, Gefühle, substanziellen Empfindungen und unseren allgemeinen Zustand zu richten, und zwar durch einen feinen, unterstützenden Fokus.

Achtsamkeit beinhaltet außerdem die Anerkennung, was bedeutet, dass wir uns auf unsere Gedanken und Gefühle konzentrieren, ohne zwischen ihnen zu entscheiden - ohne zum Beispiel zu akzeptieren, dass es eine "richtige" oder "falsche" Herangehensweise gibt, um in einer bestimmten Minute zu denken oder zu fühlen. Wenn wir Achtsamkeit praktizieren, konzentrieren sich unsere Gedanken auf das, was wir gerade wahrnehmen, anstatt die Vergangenheit zu wiederholen oder sich vorzustellen, was noch kommen wird.

VORTEILE DER ACHTSAMKEIT

Achtsamkeit verbessert das Wohlbefinden.

Die Erweiterung der Fähigkeit zur Achtsamkeit stärkt zahlreiche Perspektiven, die zu einem erfüllten Leben beitragen. Achtsamkeit macht es einfacher, die Freuden des Lebens zu genießen, während sie geschehen, bewirkt, dass man sich ganz auf die Übungen konzentriert, und verleiht eine bemerkenswerte Fähigkeit, mit ungünstigen Ereignissen umzugehen. Durch die Konzentration auf die Gegenwart und den gegenwärtigen Ort stellen zahlreiche Menschen, die Achtsamkeit praktizieren, fest, dass sie weniger dazu neigen, sich mit Stress über die Zukunft oder mit Klagen über die Vergangenheit zu befassen, dass sie weniger durch Sorgen über den Fortschritt und das Vertrauen abgelenkt werden und dass sie besser in der Lage sind, tiefe Beziehungen mit anderen zu gestalten.

Achtsamkeit verbessert die körperliche Gesundheit.

Für den Fall, dass ein höheres Wohlbefinden keine ausreichende Motivation darstellt, haben Forscher herausgefunden, dass Achtsamkeitsstrategien die körperliche Gesundheit auf verschiedene Weise verbessern können. Achtsamkeit kann helfen, Stress abzubauen, Herzkrankheiten zu behandeln, den

Kreislauf zu entlasten, ständige Schmerzen zu verringern, die Erholung zu verbessern und Magen-Darm-Probleme zu lindern.

Achtsamkeit verbessert die psychische Gesundheit.

In letzter Zeit haben Psychotherapeuten die Achtsamkeitskontemplation zu einem wichtigen Bestandteil bei der Behandlung verschiedener Probleme gemacht, darunter Melancholie, Drogenmissbrauch, Ernährungsprobleme, Streitigkeiten zwischen Paaren, Angstprobleme und übersteigerte Begeisterung.

Analysten haben herausgefunden, dass IBMT (integrative Körper-Geist-Vorbereitung) notwendige positive Veränderungen im Großhirn auslöst, die helfen könnten, sich gegen psychische Krankheiten zu schützen. Die Wirkung dieses Systems hilft, die Produktivität in einem Teil des Geistes zu unterstützen, der den Menschen bei der Bewältigung ihres Verhaltens hilft.

Achtsamkeit mildert manchen Stress.

Da die Menschen heutzutage aufgrund der unberechenbaren Vorstellungen unserer Öffentlichkeit mit einem immer größeren Gewicht konfrontiert sind, werden sie häufig mit viel Stress gequält. Dies führt zu einer Vielzahl von anderen gesundheitlichen Problemen. Achtsamkeit kann Stress abbauen, indem sie als Vorsichtsmaßnahme eingesetzt wird, und den Menschen helfen, schwierige Situationen zu überwinden.

Achtsamkeit fördert die kognitive Flexibilität.

Eine Untersuchung empfiehlt, dass Achtsamkeit nicht nur dazu beiträgt, dass Menschen weniger aufnahmefähig werden, sondern dass sie auch die kognitive Flexibilität des Einzelnen erhöht. Personen, die Achtsamkeit praktizieren, erwecken den Eindruck, ebenfalls bereit zu sein, die Selbstwahrnehmung zu üben, was natürlich die im Großhirn angelegten Bahnen von früherem Lernen trennt und es ermöglicht, dass Daten, die in diesem Moment passieren, auf andere Weise verstanden werden können.

Achtsamkeit macht Beziehungen glücklicher.

Analysten sind sich noch nicht sicher, ob dies funktioniert, aber steigende Großhirnbetrachtungen haben gezeigt, dass Personen, die ständig an Achtsamkeitsübungen teilnehmen, sowohl strukturelle als auch funktionelle Veränderungen in den Gehirnbereichen zeigen, die mit verbessertem Mitgefühl, Empathie und Rücksichtnahme verbunden sind.

Achtsamkeit vermindert die Ängste.

Die Forschung hat herausgefunden, dass Achtsamkeit besonders hilfreich ist, um Ängste abzubauen. Das Einüben von Achtsamkeit hilft in der Regel dabei, das Großhirn zu erneuern, so dass Sie Ihre Überlegungen zusammenfassen können. Anstatt einem negativen und belastenden Gedanken einen Weg durch alle denkbaren Ergebnisse zu folgen, können Sie herausfinden, wie Sie die Wahrheit über Ihre Gefühle wahrnehmen und sie loslassen können.

Achtsamkeit verbessert den Schlaf.

Die Entspannungsreaktion, die Ihr Körper auf die Achtsamkeitsreflexion benötigt, ist eine bemerkenswerte Umkehrung der Stressreaktion. Mit dieser Entspannungsreaktion wird versucht, viele stressbedingte Gesundheitsprobleme zu lindern, z. B. Schmerzen, Verzweiflung und Bluthochdruck. Häufig sind mit diesen Beschwerden auch Ruheprobleme verbunden.

Achtsamkeit verschafft Schmerzlinderung.

Etwa 100 Millionen Amerikaner leiden täglich unter den Auswirkungen ständiger Schmerzen. 40 bis 70 % dieser Menschen lassen sich jedoch nicht angemessen klinisch behandeln. Zahlreiche Untersuchungen haben gezeigt, dass Achtsamkeitskontemplation Schmerzen lindern kann, ohne dass endogene Narkotika eingesetzt werden, die bei kognitiven Verfahren wie Achtsamkeit typischerweise zur Schmerzlinderung zugelassen sind.

VIERTE KAPITEL
ANXIETY

Wir alle sind mit Angst konfrontiert; sie ist ein natürlicher menschlicher Zustand und ein wesentlicher Bestandteil unseres Lebens. Angst ermutigt uns, Gefahren zu erkennen und auf sie im Modus "Kampf oder Flucht" zu reagieren. Sie kann uns anspornen, uns mit lästigen Schwierigkeiten auseinanderzusetzen. Das "perfekte" Maß an Angst kann uns dabei helfen, eine bessere und lebendigere Aktivität und Innovationskraft zu entwickeln.

Wie dem auch sei, die Angst hat auch eine andere Seite. Unermüdliche Angst verursacht echten leidenschaftlichen

Kummer und kann dazu führen, dass wir uns unwohl fühlen und selbst unter den ungünstigsten Bedingungen Angstzustände entwickeln, wie z. B. Panikattacken, Ängste und Fixierungspraktiken. Ängste auf diesem Niveau können eine wirklich beunruhigende und schwächende Wirkung auf unser Leben haben und sich sowohl auf unsere körperliche als auch auf unsere geistige Gesundheit auswirken.

Angst ist eines der am meisten anerkannten psychischen Probleme auf der Welt, und die Zahl der Betroffenen steigt. Dennoch wird sie zu wenig detailliert, zu wenig analysiert und zu wenig behandelt. Die Fähigkeit, sich an die Angst anzupassen, ist entscheidend, um mit allem fertig zu werden, was das Leben uns zuwirft. Wenn wir jedoch in extremer Weise oder immer wieder mit Angst konfrontiert werden, besteht die Gefahr, dass wir überwältigt werden und nicht mehr in der Lage sind, ein Gleichgewicht in unserem Leben zu finden oder uns zu entspannen und zu erholen. Unsere Fähigkeit, eine gewisse innere Harmonie zu finden, war noch nie so wichtig für unser Wohlbefinden wie heute.

Jeder Mensch kennt Angstzustände. Wie dem auch sei, wenn Gefühle extremer Furcht und Bedrängnis übermächtig sind und uns davon abhalten, gewöhnliche Dinge zu tun.

Jeder Mensch hat früher oder später in seinem Leben Angstgefühle, ganz gleich, ob es sich um die Vorbereitung auf ein Treffen mit einem zukünftigen Mitarbeiter, ein Treffen mit der Familie eines Kollegen oder um die Möglichkeit der Elternschaft handelt. Während wir Angst mit Veränderungen unseres mentalen Zustands, die wir vielleicht als Stress oder Beklemmung empfinden, und mit körperlichen Anzeichen wie erhöhtem Puls und Adrenalin in Verbindung bringen, verstehen wir auch, dass sie uns wahrscheinlich nur kurz beeinflussen wird, bis die Quelle unserer Angst vorüber ist oder wir herausgefunden haben, wie wir uns an sie anpassen können. Angst gehört somit zu einer Reihe von Gefühlen, die die positive Eigenschaft haben, uns auf Dinge aufmerksam zu machen, über die wir uns Gedanken machen müssen: möglicherweise unsichere Situationen. Umso wichtiger ist es, dass diese Gefühle uns helfen, potenzielle Gefahren einzuschätzen und angemessen auf sie zu reagieren, etwa indem wir unsere Reflexe anregen oder uns konzentrieren.

Angst ist ein Wort, das wir verwenden, um Gefühle von Unruhe, Stress und Furcht zu beschreiben. Es fasst sowohl die Gefühle als auch die körperlichen Empfindungen zusammen, die auftreten können, wenn wir gestresst oder ängstlich vor etwas sind. Auch wenn wir sie in der Regel als unangenehm empfinden, wird Angst mit der "Kampf- oder Fluchtreaktion" gleichgesetzt - unserer typischen organischen Reaktion auf ein Gefühl der Gefährdung.

ANGSTSYMPTOME

Wie bei allen dysfunktionalen Verhaltensweisen zeigen sich auch bei Menschen mit Angstproblemen die Anzeichen auf unerwartete Weise. Wie dem auch sei, für die überwiegende Mehrheit verändert die Angst die Art und Weise, wie sie täglich arbeiten. Der Einzelne kann mindestens eine der begleitenden Nebenwirkungen erleben:

Übermäßiges Grübeln

Eines der am weitesten verbreiteten Anzeichen für ein Angstproblem ist übermäßiges Grübeln.

Die Beunruhigung, die mit dem Angstproblem verbunden ist, steht in keinem Verhältnis zu den Ereignissen, die sie auslösen, und tritt regelmäßig im Zusammenhang mit gewöhnlichen, regelmäßigen Umständen auf.

Sorgen sind gefährlich und lästig und erschweren das Denken und die Bewältigung alltäglicher Aufgaben.

Personen, die jünger als 65 Jahre sind, sind am stärksten gefährdet, Angstzustände zu entwickeln, insbesondere Alleinstehende, die einen niedrigeren finanziellen Status haben und unter zahlreichen Stressfaktoren leiden.

Erregtes Gefühl

Wenn sich jemand gereizt fühlt, schaltet ein Teil seines aufmerksamen sensorischen Systems auf Hochtouren.

Dies führt zu einer Reihe von Auswirkungen auf den gesamten Körper, z. B. einem hektischen Herzschlag, schweißnassen Handflächen, temperamentvollen Händen und einem trockenen Mund.

Diese Nebenwirkungen treten auf, weil Ihr Großhirn darauf vertraut, dass Sie ein Risiko erkannt haben, und Ihren Körper darauf einstellt, auf die Gefahr zu reagieren.

Ihr Körper leitet das Blut von Ihrem Magen weg und zu Ihren Muskeln, wenn Sie rennen oder kämpfen müssen. Es erhöht ebenfalls Ihren Puls und steigert Ihre Leistungsfähigkeit.

Diese Auswirkungen sind zwar nützlich, wenn ein echtes Risiko besteht, können aber lähmend wirken, wenn die Angst nur in der Vorstellung besteht.

Einige Untersuchungen deuten sogar darauf hin, dass Menschen mit Angstzuständen nicht bereit sind, ihre Aufregung so schnell abzubauen wie Menschen ohne Angstzustände, was bedeutet, dass sie die Auswirkungen der Angst über einen längeren Zeitraum spüren können.

Unruhe

Unruhe ist ein weiteres häufiges Anzeichen für Angst, insbesondere bei Kindern und Jugendlichen.

Wenn jemand unter Unruhe leidet, beschreibt er dies regelmäßig als "angespannt" oder "unangenehmes Verlangen, sich zu bewegen".

Eine Untersuchung an 128 Kindern, bei denen ein Angstproblem festgestellt wurde, ergab, dass 74 % von ihnen Unruhe als eines ihrer Hauptanzeichen für Angst angaben.

Ermüdung

Ein weiterer möglicher Nebeneffekt von Angstzuständen ist die tatsächliche Ermüdung.

Diese Nebenwirkung kann für einige wenige erstaunlich sein, da Angst regelmäßig mit Hyperaktivität oder Aufregung verbunden ist.

Bei einigen Menschen kann die Müdigkeit auf einen Angstanfall folgen, während sie bei anderen chronisch sein kann.

Konzentrationsschwierigkeiten

Zahlreiche Menschen mit Angstzuständen berichten von Konzentrationsproblemen.

Einige Untersuchungen zeigen, dass Angst das Arbeitsgedächtnis beeinträchtigen kann, eine Art von Gedächtnis, das für die Speicherung momentaner Daten verantwortlich ist. Dies könnte dazu beitragen, die emotionale Verschlechterung der Ausführung zu erklären, die Menschen in Zeiten großer Angst häufig erleben.

Panikattacken

Eine Art von Angstproblem, das so genannte Panikproblem, ist mit wiederkehrenden Panikattacken verbunden.

Panikattacken erzeugen einen extremen, überwältigenden Eindruck von Angst, der lähmend sein kann.

Zu dieser extremen Angst gesellen sich regelmäßig Herzrasen, Schweißausbrüche, Zittern und Kurzatmigkeit, Engegefühl in der Brust, Unwohlsein und die Angst, ins Gras zu beißen oder die Kontrolle zu verlieren.

Panikattacken können auch bei einer Trennung auftreten; wenn sie jedoch ab und zu und plötzlich auftreten, könnten sie ein Hinweis auf ein Panikproblem sein.

Aufrechterhaltung einer strategischen Distanz zu sozialen Situationen

Menschen mit sozialen Ängsten können sich in Versammlungen oder beim Kennenlernen neuer Menschen unglaublich schüchtern und ruhig zeigen. Äußerlich scheinen sie nicht aufgeregt zu sein, aber innerlich fühlen sie außergewöhnliche Angst und Furcht.

Diese Distanziertheit kann bei Menschen mit sozialen Ängsten gelegentlich dazu führen, dass sie eingebildet oder unnahbar wirken; die Unruhe hängt jedoch mit geringem Selbstvertrauen, starker Selbstanalyse und Niedergeschlagenheit zusammen.

Sie könnten Anzeichen von sozialen Ängsten zeigen, wenn Sie sich selbst bekommen:

- Nervosität oder Angst vor bevorstehenden gesellschaftlichen Ereignissen
- Angst, dass Sie von anderen beurteilt oder geprüft werden könnten
- Angst, vor anderen gedemütigt zu werden oder sich zu blamieren
- Vermeidung bestimmter Zusammenkünfte angesichts dieser Befürchtungen

Irrationale Ängste

Unbegründete Ängste vor bestimmten Dingen, z. B. vor gruseligen Krabbeltieren, eingeschlossenen Räumen oder Gestalten, können ein Hinweis auf Angst sein.

Angst ist gekennzeichnet durch übermäßige Angst oder Besorgnis über einen bestimmten Gegenstand oder Umstand. Das Gefühl ist so schwerwiegend, dass es Ihre Arbeitsfähigkeit in typischer Weise beeinträchtigt.

ARTEN DER ANGSTSTÖRUNG

Angststörungen haben unterschiedliche Anzeichen oder Symptome. Dies bedeutet auch, dass jede Art von Angst einen eigenen Behandlungsplan hat. Die am weitesten verbreitete Nervosität Problem umfasst:

- **Panikstörung**
  Die Panikstörung ist ein unerwartetes Gefühl des Schreckens, das plötzlich und ohne Vorwarnung auftritt, mit körperlichen Begleiterscheinungen wie Brustschmerzen, Herzklopfen, Unruhe, Kurzatmigkeit und Magenverstimmung.
- **Phobien**
  Die große Mehrheit der Menschen mit expliziten Ängsten hat einige Auslöser. Um nicht zu erstarren, werden

Menschen mit verständlichen Ängsten versuchen, sich von ihren Auslösern fernzuhalten. Je nach Art und Anzahl der Auslöser können diese Angst und das Bestreben, sie zu kontrollieren, das Leben einer Person beherrschen.

- **Generalisierte Angststörung (GAD)**
  GAD führt zu einer unaufhörlichen, übersteigerten Agonie über das normale tägliche Leben. Dies kann jeden Tag Stunden verschlingen und es schwierig machen, sich zu konzentrieren oder die täglichen Routineaufgaben zu erledigen. Eine Person mit GAD kann durch Stress erschöpft werden und Migräne, Druck oder Unwohlsein erleben.

- **Soziale Angststörung**
  Im Gegensatz zur Bescheidenheit verursacht diese Störung außergewöhnliche Ängste, die regelmäßig von unangemessenem Stress bestimmt werden, weil man sich in der Gesellschaft blamiert, "etwas Blödes sagt" oder "nicht weiß, was man sagen soll". Jemand, der an einer sozialen Angststörung leidet, kann sich an Diskussionen nicht beteiligen, sich nicht in Klassengespräche einbringen, seine Gedanken nicht äußern und sich zurückziehen. Der Anfall von Angstzuständen ist eine typische Reaktion.

- **Zwangsneurose**

  Zwanghaft: Ständige Überlegungen, Gedanken, Motivationen oder Bilder, die aufdringlich und falsch sind und kontrollierte Angst oder Kummer verursachen. Menschen mit Fixierungen bemühen sich in der Regel, solche Grübeleien oder Triebkräfte zu ignorieren oder zu unterdrücken oder sie durch andere Überlegungen oder Aktivitäten (Impulse) auszugleichen.

  Zwanghaft: Sich wiederholende Praktiken (z. B. Händewaschen, Bitten oder Überprüfen) oder geistige Handlungen (z. B. Bitten, Zählen oder Wiederholen von Wörtern), die aufgrund einer Fixierung oder auf eine formale Weise erfolgen.

- **Posttraumatische Belastungsstörung**

  Dies deutet auf Flashbacks, ständige erschreckende Gedanken und Erinnerungen, Empörung oder Rührseligkeit angesichts einer beängstigenden Verstrickung, bei der körperliches Unheil geschah oder kompromittiert wurde, zum Beispiel (Überfall, Kindesmissbrauch, Krieg oder katastrophales Ereignis).

URSACHEN DER ANGSTSTÖRUNG

Die Forscher gehen davon aus, dass zahlreiche Komponenten zusammenkommen, um Angststörungen zu verursachen:

- Genetik

In einigen Familien ist der Anteil der Personen, die unter Angstzuständen leiden, überdurchschnittlich hoch, und Studien belegen, dass Angststörungen in der Familie oder erblich bedingt sind. Dies kann ein Faktor sein, wenn jemand eine Angststörung entwickelt.

- Stress

Ein belastender oder traumatischer Umstand, z. B. Missbrauch, Tod eines Freundes oder Familienmitglieds, Grausamkeit oder verzögerte Krankheit, ist regelmäßig mit der Entwicklung einer Angststörung verbunden.

AUSWIRKUNGEN VON ANGST AUF DEN KÖRPER

Angst kann in Ihrem Körper zahlreiche Unruhen auslösen, da er sich auf eine Gefahr vorbereitet. Diese Empfindungen werden als "Vorsichtsreaktion" bezeichnet, die auftritt, wenn das normale Alarmsystem des Körpers (die "Kampf-Flucht-Frost-Reaktion") in Gang gesetzt wurde.

Schneller Herzschlag und schnelle Atmung - Wenn sich Ihr Körper auf eine Aktivität vorbereitet, stellt er sicher, dass genügend Blut und Sauerstoff zu den wichtigen Muskelgruppen und den lebenswichtigen Organen fließt, damit Sie fliehen oder die Gefahr abwehren können.

Schwitzen - Schwitzen kühlt den Körper. Außerdem macht es die Haut zunehmend schwieriger für ein angreifendes Wesen oder eine Person, Sie zu erfassen.

Übelkeit und Magenverstimmung - Wenn der Körper mit einer Bedrohung konfrontiert wird, schaltet er die für die Ausdauer nicht benötigten Strukturen/Formen ab; auf diese Weise kann er die Vitalität zu den Kapazitäten leiten, die für die Toleranz grundlegend sind. Die Assimilation ist einer der Vorgänge, die bei Gefahr nicht benötigt werden. In diesem Sinne kann Angst Gefühle von Magenverstimmung, Übelkeit oder Stuhlgang auslösen.

Verwirrtheit oder Benommenheit - Da unser Blut und Sauerstoff zu den wichtigen Muskeln fließt, wenn wir uns in Gefahr befinden, atmen wir viel schneller ein, um diese Muskeln mit Sauerstoff zu versorgen. Wie dem auch sei, diese Reaktion kann zu Hyperventilation führen (viel Sauerstoff durch schnelles Atmen, um den Körper auf die Aktivität vorzubereiten), was dazu führen kann, dass Sie sich verwirrt oder unsicher fühlen. Da der größte Teil des Blutes und des Sauerstoffs zu den Armen und Beinen fließt (für "Kampf oder Flucht"), wird auch das Großhirn etwas weniger durchblutet, was ebenfalls dazu führen kann, dass Sie müde werden. Versuchen Sie jedoch, sich nicht zu stressen: Die leichte Verringerung der Blutzufuhr zum Gehirn ist in keiner Weise gefährlich.

Enge oder quälende Brust - Ihre Muskeln machen sich Sorgen, wenn sich Ihr Körper auf das Risiko vorbereitet. Daher kann sich Ihr Brustkorb eng oder schwer anfühlen, wenn Sie tief einatmen und die Brustmuskeln angespannt sind.

Taubheitsgefühle und Schüttelfrost - Hyperventilation (Überschuss an Sauerstoff) kann ebenfalls Taubheitsgefühle und Schüttelfrost hervorrufen. Das Frösteln kann auch mit der Art und Weise identifiziert werden, wie sich die Haare an unserem Körper regelmäßig aufstellen, wenn wir mit einem Risiko konfrontiert werden, um unsere Empfindlichkeit gegenüber Kontakten oder Entwicklungen zu erhöhen. Schließlich können sich Finger und Zehen ebenfalls taub/zittrig anfühlen, da das

Blut von Orten, an denen es nicht benötigt wird (wie unseren Fingern), zu wichtigen Muskelpaketen fließt, die benötigt werden (wie unseren Armen).

Die Schwere der Beine - Da die Beine auf Aktivität ausgelegt sind (Kampf oder Flucht), kann ein erweiterter Muskeldruck, ebenso wie ein erweiterter Blutstrom zu diesen Muskeln, die Schwere der Beine hervorrufen.

Erstickungsgefühle - Erhöhter Muskeldruck im Halsbereich oder schnelles Atmen trocknet den Rachen aus, so dass Sie das Gefühl haben, zu würgen.

Hitzewallungen und Erkältungen - Diese Empfindungen können mit dem Schwitzen und der Verengung der Venen in der oberen Hautschicht in Verbindung gebracht werden. Diese Verengung trägt ebenfalls dazu bei, den Blutverlust zu verringern, wenn Sie verletzt werden.

Zentrales Nervensystem

Langfristige Angstzustände und Stressanfälle können dazu führen, dass das Großhirn ständig Druckhormone ausschüttet. Dies kann das Auftreten von Nebenwirkungen verstärken, z. B. Hirnschmerzen, Unruhe und Entmutigung.

In dem Moment, in dem Sie sich nervös und angespannt fühlen, überflutet Ihr Großhirn Ihr Nervensystem mit Hormonen und synthetischen Verbindungen, die Sie bei der Reaktion auf ein Risiko unterstützen sollen. Adrenalin und Cortisol sind zwei Beispiele dafür.

Auch wenn dies für gelegentliche Stresssituationen hilfreich ist, kann die langfristige Zufuhr von Dehnungshormonen langfristig schädlich für Ihr körperliches Wohlbefinden sein. Zum Beispiel kann die langfristige Einführung von Kortikosteroiden zu einer Gewichtszunahme führen.

Kardiovaskuläres System

Angststörungen können einen schnellen Puls, Herzklopfen und Schmerzen in der Brust verursachen. Sie können auch ein erhöhtes Risiko für Bluthochdruck und Herzkrankheiten haben. Wenn Sie bereits eine Koronarerkrankung haben, können Angststörungen die Gefahr von Herzinfarkten erhöhen.

Ausscheidungsorgane und magenbezogene Systeme

Angst beeinflusst zusätzlich die Ausscheidungsorgane und den Magen. Es kann zu Magenschmerzen, Übelkeit, lockerem Stuhlgang und anderen Magenproblemen kommen. Ein Verlust des Verlangens kann ebenfalls auftreten.

Es besteht möglicherweise ein Zusammenhang zwischen Angststörungen und dem Fortschreiten des Reizdarmsyndroms

(IBS) nach einer Darmerkrankung. Das Reizdarmsyndrom kann zu Würgereiz, Durchfall oder Verstopfung führen.

Das Widerstands- oder Immunsystem

Angst kann Ihre Flucht-oder-Kampf-Druckreaktion auslösen und einen Schwall von synthetischen Präparaten und Hormonen, ähnlich wie Adrenalin, in Ihr System entlassen.

Das erhöht vorerst Ihren Herzschlag und Ihre Atemfrequenz, damit Ihr Geist mehr Sauerstoff bekommt. So sind Sie in der Lage, auf eine außergewöhnliche Situation angemessen zu reagieren. Ihr Sicherheitssystem kann sogar einen kurzen Aufschwung erfahren. Wenn der Druck nachlässt, kehrt Ihr Körper zu seiner normalen Arbeitsweise zurück.

Wenn Sie sich immer wieder nervös und angespannt fühlen oder es eine ganze Weile anhält, bekommt Ihr Körper nie das Zeichen, wieder zu seiner normalen Arbeitsweise zurückzukehren. Dies kann Ihr Immunsystem schwächen und Sie zunehmend hilflos gegenüber Viruserkrankungen und andauernden Beschwerden machen. Ebenso können Ihre normalen Antikörper nicht funktionieren, wenn Sie unter Angstzuständen leiden.

Das Atmungssystem

Angst verursacht eine schnelle, flache Entspannung. Wenn Sie eine ständige obstruktive Atemwegsinfektion haben, besteht die Gefahr, dass Sie aufgrund von Angstzuständen ins Krankenhaus müssen. Angst kann ebenfalls Asthmaanzeichen verschlimmern.

andere Einflüsse

Eine Angststörung kann verschiedene Anzeichen hervorrufen, darunter:

- Kopfschmerzen
- Muskeldruck
- Schlaflosigkeit
- Depression
- soziale Enge

Wenn Sie an einer posttraumatischen Belastungsstörung (PTBS) leiden, kann es sein, dass Sie sich gelegentlich an ein traumatisches Erlebnis erinnern. Andere Nebenwirkungen sind Schlafentzug, schlechte Träume und Probleme.

WIE MAN DIE ANGST ÜBERWINDET

Schrei es heraus

Sich mit einem vertrauenswürdigen Begleiter zu unterhalten, ist eine Möglichkeit, sich an die Angst anzupassen. Wie dem auch sei, es gibt etwas, das umwerfend besser ist als Reden: so laut wie möglich zu schreien. Als Kind hat man dir vermutlich beigebracht, nicht zu schreien, und dir geraten, deine "innere Stimme" zu benutzen. Aber als Erwachsener können Sie Ihre Prinzipien durchsetzen. Falls Sie also mit unterdrückter Unzufriedenheit und Ängsten zu kämpfen haben, lassen Sie es raus.

Damit ist nicht gemeint, dass man die Angst in anderen stört, damit sie sich wie man selbst fühlen. Es geht um ein gesundes Aufkommen von Gefühlen in einer kontrollierten Situation. Je mehr Sie gegen die Angst ankämpfen, desto überwältigender kann sie werden. Halten Sie stattdessen die Angst als Teil Ihres Lebens fest und lassen Sie sie anschließend los. Schreien Sie so laut wie möglich, schlagen Sie auf ein Kissen, treten Sie mit den Füßen oder schlagen Sie sich auf die Brust. Tun Sie, was immer Sie dazu veranlasst, sie loszulassen! Ein in Los Angeles ansässiger Yogalehrer hat sogar einen Kurs mit dem Namen Tantrum Yoga entwickelt, der Yogis dazu auffordert, diese skurrilen Strategien auszuprobieren, um Gefühle loszuwerden, die "in unserem Körper stecken bleiben und sich in Stress, Krankheit und so weiter verwandeln könnten."

Los geht's

Sport ist wahrscheinlich das genaue Gegenteil von dem, was Sie tun sollten, wenn Ihr Gehirn auf Hochtouren läuft. Sie machen sich vielleicht Sorgen, dass Sie nach dem Training gereizt sind und in den nächsten zwei Tagen weder gehen noch sitzen können. Oder Sie denken an die schlimmsten Folgen, die man sich vorstellen kann, und befürchten, sich zu überanstrengen und einen Herzinfarkt zu erleiden. Wie dem auch sei, Übung ist außergewöhnlich im Vergleich zu anderen gängigen Anti-Angst-Maßnahmen.

Körperliche Bewegung erhöht den Endorphin- und Serotoninspiegel und hilft Ihnen, sich innerlich besser zu fühlen. Wenn Sie sich innerlich besser fühlen, verbessert sich auch Ihr gesamter Standpunkt. Da sich Ihr Großhirn nicht gleichzeitig auf zwei Dinge konzentrieren kann, kann Bewegung Ihr Gehirn ebenfalls von Ihren Problemen ablenken. Konzentrieren Sie sich auf jeden Fall auf 30 Minuten körperliche Bewegung an drei bis fünf Tagen pro Woche. Denken Sie nicht, dass Sie sich durch eine unerträgliche Übung kämpfen müssen. Jede Art von Bewegung ist akzeptabel, also ziehen Sie sich Ihre Lieblingsmarmelade an und bewegen Sie sich durch das Haus.

Oder machen Sie sich auf die Socken und machen Sie Ihr bevorzugtes Yoga.

Abschied vom Koffein

Ein Espresso, Schokolade oder eine super kalte Cola können Ihnen helfen, sich besser zu fühlen. In jedem Fall, wenn Koffein ist Ihr Go-to-Medikament der Entscheidung, könnte Ihre Angst zu intensivieren.

Koffein versetzt dem sensorischen System einen Schock, was die Vitalität steigert. Wie dem auch sei, wenn Sie unter Spannung stehen, kann diese ängstliche Vitalität einen Angstanfall auslösen. Der Verzicht auf Ihr geliebtes, stimulierendes Erfrischungsgetränk kann Ihren Puls in die Höhe treiben und Angstzustände auslösen, während Sie dies lesen, aber Sie müssen nicht auf eine Entwöhnungsphase oder den Verzicht auf Koffein verzichten. Es geht nur um Kontrolle.

Anstelle von vier Tassen Espresso pro Tag sollten Sie sich auf ein paar geschätzte Tassen pro Tag beschränken - typisch im Sinne von 8 Unzen, nicht 16 oder 32 Unzen. Probieren Sie es aus und merken Sie, wie Sie sich fühlen. Wenn Sie sich entwöhnen, sollten Sie allmählich andere Getränke in Ihren Ernährungsplan aufnehmen, z. B. entkoffeinierten natürlichen Tee, der Ihr Gehirn und Ihre Nerven beruhigen kann.

Gönnen Sie sich eine Schlafenszeit

Bei Ihrem vollen Terminkalender bleibt keine Zeit für Ruhe, oder? Einige zwanghafte Arbeitnehmer brüsten sich damit, dass sie nur drei oder vier Stunden Ruhe pro Nacht brauchen, als wollten sie sagen: "Ich bin entschlossener und unterwürfiger als alle anderen." Aber egal, was Sie sich einreden, Sie sind kein Roboter. Menschen brauchen Ruhe, um angemessen arbeiten zu können, und wenn Sie nicht von einem nahe gelegenen Planeten einstrahlen, betrifft Sie das zusätzlich.

Unabhängig davon, ob Sie an einer Schlafstörung leiden, Ihre Ruhezeit bewusst einschränken oder selbst ein erklärter Nachtschwärmer sind, ständiger Schlafmangel macht Sie hilflos gegenüber Ängsten. Tun Sie sich (und Ihrem Umfeld) einen Gefallen und gönnen Sie sich jede Nacht acht bis neun Stunden Ruhe. Entwickeln Sie eine Schlafenszeit-Routine, in der Sie vor dem Schlafengehen ein Buch lesen oder etwas anderes tun, das Sie entspannt. Je besser Sie darauf vorbereitet sind, eine anständige Nachtruhe zu bekommen, desto besser sind Sie ausgeruht und desto besser ist auch der Morgen.

Sich "OK" fühlen, wenn man "NEIN" sagt

Ihr Teller ist einfach so riesig, und wenn Sie sich mit den Problemen der anderen überfordern, wird Ihre Angst ebenfalls abnehmen. Wir alle kennen den Spruch: "Geben macht mehr Freude als Nehmen. "Aber nirgendwo heißt es, dass man sich zurücklehnen und andere in seine Zeit eindringen lassen soll.

Ganz gleich, ob Sie jemanden zu einer Aufgabe fahren, seine Kinder von der Schule abholen oder ihm aufmerksam zuhören, wenn es um seine Probleme geht: Sie werden wenig Solidarität aufbringen können, wenn Sie praktisch Ihre gesamte Kraft darauf verwenden, über andere nachzudenken. Das heißt nicht, dass Sie nie jemanden unterstützen sollten, aber kennen Sie Ihre Grenzen und zögern Sie nicht, "nein" zu sagen, wenn Sie müssen.

Versuchen Sie, das Abendessen nicht auszulassen

Wenn Angst zu Unwohlsein führt, ist die Vorstellung, Nahrung zu sich zu nehmen, so verlockend wie Erde zu essen. Wie dem auch sei, das Auslassen von Mahlzeiten kann Angstzustände verschlimmern. Ihr Blutzuckerspiegel sinkt, wenn Sie nicht essen, was die Ausschüttung eines Stresshormons namens Cortisol bewirkt. Cortisol kann Ihnen dabei helfen, besser unter Spannung zu arbeiten, aber es kann auch Ihr Gefühl verschlimmern, wenn Sie bereits zu Angstzuständen neigen.

Die Art und Weise, wie man essen muss, legitimiert nicht, sich nur irgendetwas in den Mund zu stopfen, also ist das kein Grund, in Zucker und minderwertiger Nahrung zu schwelgen. Zucker verursacht keine Angst, aber ein Zuckeranstieg kann zu körperlichen Anzeichen von Angst führen, zum Beispiel zu Beklemmung und Zittern. Und wenn Sie anfangen, sich auf eine Reaktion auf Zucker zu fixieren, können Sie einen regelrechten Angstanfall bekommen.

Bauen Sie zunehmend magere Proteine, Naturprodukte, Gemüse und feste Fette in Ihren Ernährungsplan ein. Essen Sie fünf bis sechs kleine Mahlzeiten am Tag, und halten Sie einen strategischen Abstand von Zucker und raffinierter Stärke oder beschränken Sie deren Aufnahme.

Geben Sie sich eine Ausstiegsstrategie

Hier und da sind Ängste darauf zurückzuführen, dass man sich wild fühlt. Sie können Ihr Leben im Allgemeinen nicht selbst in die Hand nehmen, aber Sie können einen Weg finden, Ihre Auslöser zu erkennen und sich an die Bedingungen anzupassen, die Ängste verursachen.

Bringt Sie die Vorstellung, in ein soziales Umfeld zu gehen oder neue Leute zu treffen, dazu, von einer Verlängerung zu springen? Während alle Teilnehmer einer Veranstaltung an anregenden Diskussionen teilnehmen, ertappen Sie sich vielleicht dabei, wie Sie die Trennwand hochhalten und die Zeit abwarten, bis Sie aus Ihrem Elend befreit sind. Sie sind mit Begleitern gefahren und können nicht gehen, also verbringen Sie den ganzen Abend damit, die Punschschüssel zu ordnen. Es ist diese Angst, die dich dazu bringt, im Laufe der Wochenenden weniger zu arbeiten und sich auszuruhen.

Stellen Sie sich jedoch ein Szenario vor, bei dem Sie vor dem Ausgehen ein Urlaubssystem eingerichtet haben. Anstatt eine Fahrgemeinschaft mit Ihren Hardcore-Partykumpanen zu bilden, könnten Sie zum Beispiel selbst fahren. Auf diese Weise können Sie gehen, wenn sich Ihre Angstzustände häufen und Sie nicht noch einen weiteren Moment mit ungeschickten Assoziationen überstehen können. Je mehr Sie sich verantwortlich fühlen, desto weniger Angst werden Sie haben.

KAPITEL FÜNF

PANIK-ATZEN

Panikattacken sind unerwartete Momente großer Angst, die mit Herzklopfen, Schweißausbrüchen, Zittern, Atemnot, Taubheit oder der Befürchtung, dass etwas Schreckliches passieren wird, einhergehen können. Die extremsten Anzeichen treten innerhalb kürzester Zeit auf. In der Regel halten sie etwa 30 Minuten an; die Dauer kann jedoch von Sekunden bis zu Stunden reichen. Möglicherweise besteht die Befürchtung, die Kontrolle zu verlieren, oder es treten Schmerzen in der Brust auf. Panikattacken selbst sind in der Regel nicht wirklich riskant.

Panikattacken können aufgrund verschiedener Störungen auftreten, z. B. Panikstörung, soziale Angststörung, posttraumatische Belastungsstörung, Tranquilizer-Konsumstörung, Unglücklichsein und klinische Probleme. Sie können entweder aktiviert werden oder plötzlich auftreten. Rauchen, Koffein und psychischer Stress erhöhen die Gefahr, eine Panikattacke zu bekommen. Vor der Analyse sollten Erkrankungen, die vergleichbare Nebenwirkungen hervorrufen, ausgeschlossen werden, z. B. Hyperthyreose, Hyperparathyreoidismus, Koronarerkrankungen und Lungenerkrankungen.

GRÜNDE FÜR PANIKATTACKEN

Niedergeschlagenheit

Niedergeschlagenheit wird als eine Temperamentsstörung bezeichnet. Sie kann als Gefühle der Bitterkeit, des Unglücks oder der Empörung beschrieben werden, die sich in die gewöhnlichen Übungen einer Person einmischen.

Alkoholmissbrauch

Alkoholmissbrauch umfasst eine Reihe unglücklicher Praktiken des Alkoholkonsums, die vom Griff zur Flasche bis hin zur Alkoholabhängigkeit reichen und in extremen Fällen medizinische Probleme für die Betroffenen und enorme soziale Probleme mit sich bringen.

Zigarettenrauchen

Zigarettenrauchen ist das Rauchen von Tabak und das Einatmen von Tabakrauch (bestehend aus den Molekül- und Dampfphasen). Eine umfassendere Definition kann auch das Einatmen von Tabakrauch in den Mund und das anschließende Ausstoßen umfassen, wie es von einigen mit Tabaktrichtern und Stogies praktiziert wird.

Selbstmordgefahr

Selbstmord ist die Demonstration der Beendigung des eigenen Lebens. Nach Angaben der American Foundation for Suicide Prevention ist Selbstmord die zehnthäufigste Todesursache in den Vereinigten Staaten und kostet jedes Jahr rund 47.000 Amerikanern das Leben.

Selbstzerstörerisches Verhalten bezieht sich auf die Erörterung oder Durchführung von Aktivitäten, die mit der Selbsttötung identifiziert werden. Selbstzerstörerische Überlegungen und Praktiken sollten als psychische Krise betrachtet werden.

Vererbte Eigenschaften

In einigen Familien ist die Anzahl der Personen, die an Panikstörungen leiden, überdurchschnittlich hoch, und Studien belegen, dass Panikstörungen in Familien gehäuft auftreten. Dies kann ein Faktor sein, wenn jemand eine Angststörung entwickelt.

NEBENEFFEKTE VON PANIKATTACKEN

Panikattacken kommen meist aus dem Nichts, ganz plötzlich. Sie können jederzeit auftreten - beim Autofahren, im Einkaufszentrum, bei einem gesunden Schlummer oder in einer Konferenz. Panikattacken können in regelmäßigen Abständen auftreten, aber auch nur hin und wieder.

Panikattacken gibt es in vielen Varianten, doch in der Regel treten sie innerhalb kürzester Zeit auf. Nachdem eine Panikattacke abgeklungen ist, fühlen Sie sich vielleicht erschöpft und ausgelaugt.

Panikattacken umfassen in der Regel einen Teil dieser Anzeichen oder Hinweise:

- Gefühl des nahenden Schicksals (IMPENDING DOOM) oder der Bedrohung
- Furcht vor Kontrollverlust oder Tod
- Der schnelle, schlagende Puls
- Schwitzen
- Zittern oder Schütteln
- Kurzatmigkeit oder Engegefühl im Hals
- Schüttelfrost
- Hitzewallungen
- Übelkeit

- Abdominale Quetschungen
- Schmerzen in der Brust
- Kopfschmerzen
- Schwindel, Benommenheit oder Ohnmacht
- Taubheitsgefühl oder Schüttelfrost
- Gefühl der Falschheit oder Trennung.

AUSWIRKUNGEN VON PANIKATTACKEN

Menschen, die unter den Folgen einer Panikstörung oder Panikattacken leiden, haben ein viel höheres Risiko, irgendwann an Herzinfarkt und Herzkrankheiten zu erkranken. ... Während dieser Attacken können auch körperliche Anzeichen auftreten, wie Schwitzen, Atemprobleme, Schwindel, Herzrasen, Schüttelfrost, Brustschmerzen und Magenschmerzen.

Lang anhaltende Angst- und Panikattacken können dazu führen, dass das Großhirn ständig Stresshormone ausschüttet. Dies kann das Wiederauftreten von Nebenwirkungen, wie z.B. Hirnschmerzen, Verwirrtheit und Trauer, verstärken.

Panikattacken während der Schwangerschaft können ein Grund zur Sorge sein, da sie sich auf den Nachwuchs auswirken können. Die Blutzufuhr zum Schlüpfling ist vermindert, wenn die Mutter unter starken Angstzuständen leidet, was zu einem niedrigen Geburtsgewicht und frühzeitiger Arbeit führen kann.

Bei Menschen mit Panikstörung kann das Gehirn besonders empfindlich auf Angst reagieren. Menschen mit dieser Störung leiden regelmäßig zusätzlich unter erheblicher Traurigkeit.

Panikattacken können die Beziehung zwischen Mutter und Kind sowie die Anpassungsfähigkeit der Mutter in der Zeit nach der Geburt beeinflussen.

LÖSUNG FÜR PANIKATTACKEN

Wenn sich die Anzeichen während einer Panikattacke häufen, kann es sich so anfühlen, als würde die Erfahrung nie enden. Auch wenn Sie vielleicht glauben, dass Sie nichts tun können, außer es zu ertragen, gibt es doch einige Verfahren, die Sie anwenden können, um die Schwere der Anzeichen zu verringern und Ihre Psyche abzulenken.

Wahrnehmen, dass Sie eine Panikattacke haben

Indem Sie wahrnehmen, dass es sich um eine Panikattacke und nicht um einen Herzinfarkt handelt, können Sie sich selbst sagen, dass es sich um eine kurze Phase handelt, die vorübergehen wird, und dass es Ihnen gut geht.

Beseitigen Sie die Angst, dass Sie den Löffel abgeben könnten oder dass das Schicksal näher rückt, die beiden Anzeichen von Panikattacken. So können Sie sich auf andere Systeme konzentrieren, um Ihre Nebenwirkungen zu verringern.

Haben Sie einen Plan aufgestellt

Unabhängig davon, wie Ihr Arrangement aussieht, ist es das Wichtigste, ein solches zu haben. Sie können Ihr Arrangement als eine Art Wegweiser für sich selbst betrachten, wenn Sie spüren, dass eine Panikattacke bevorsteht. Ein Mechanismus kann darin bestehen, dass Sie sich von Ihrer gegenwärtigen Situation entfernen, sich hinlegen und einen Begleiter oder Verwandten aufsuchen, der Sie von Ihren Anzeichen ablenken und Ihnen helfen kann, sich zu beruhigen. An diesem Punkt können Sie sich den begleitenden Systemen anschließen.

Tiefes Atmen üben

Kurzatmigkeit ist ein typisches Anzeichen für Panikattacken, die dazu führen können, dass Sie sich wie ein Berserker fühlen und wild werden. Erkennen Sie, dass Ihre Kurzatmigkeit ein Anzeichen für eine Panikattacke ist, und dass diese nur vorübergehend ist. Beginnen Sie damit, vier Sekunden lang einen vollen Atemzug einzuatmen, ihn eine Sekunde lang anzuhalten und ihn dann vier Sekunden lang wieder auszuatmen. Wiederholen Sie dieses Beispiel so lange, bis Ihre Atmung kontrolliert und gleichmäßig wird. Die Konzentration auf die Zahl vier wird Sie nicht ausschließlich vom Hyperventilieren abhalten, sondern kann auch dabei helfen, andere Nebenwirkungen auszublenden.

Achtsamkeit üben

Achtsamkeit kann dazu beitragen, Sie in der Wahrheit dessen zu erden, was um Sie herum ist. Da Panikattacken ein Gefühl der Trennung oder Abschottung von der realen Welt verursachen können, kann dies Ihre Panikattacke bekämpfen, wenn sie näher rückt oder auftritt.

Konzentrieren Sie sich auf die körperlichen Empfindungen, die Sie kennen, wie das Eintauchen Ihrer Füße in den Boden oder das Fühlen der Oberfläche Ihrer Hose an den Händen. Diese besonderen Empfindungen erden dich tatsächlich unbeweglich und geben dir ein Ziel, auf das du dich konzentrieren kannst.

Muskelentspannungstechniken anwenden

Während einer Panikattacke ist es unvermeidlich, dass Sie das Gefühl haben, die Kontrolle über Ihren Körper verloren zu haben, doch die Methoden der Muskelentspannung ermöglichen es Ihnen, einen Teil dieser Kontrolle wiederzuerlangen. Die dynamische Muskelentspannung ist eine einfache, aber wirkungsvolle Strategie gegen Panik und Angstzustände. Beginnen Sie damit, Ihre geballte Hand zu ergreifen und halten Sie diesen Griff bis zur Zählung von 10. Wenn Sie ein brauchbares Tempo gefunden haben, lösen Sie den Griff und lassen Sie Ihre Hand völlig entspannen. Als Nächstes versuchen Sie eine ähnliche Strategie in den Füßen, und danach arbeiten Sie sich Stück für Stück den Körper hinauf, indem Sie jede Muskelgruppe ergreifen und lockern: Beine, Exzesse, Bauchbereich, Rücken, Hände, Arme, Schultern, Nacken und Gesicht.

Leichte körperliche Betätigung

Endorphine sorgen dafür, dass das Blut genau das tut, was es soll. Es kann dazu beitragen, unseren Körper mit Endorphinen zu überschwemmen, die unser Temperament verbessern können. Wenn Sie gestresst sind, wählen Sie eine leichte Übung, die den Körper schont, z. B. Spazierengehen oder Schwimmen. Der besondere Fall ist, wenn Sie hyperventilieren oder versuchen, sich zu entspannen. Tun Sie alles, was Sie können, um erst einmal zur Ruhe zu kommen.

Ein Mantra auffrischen oder wiederholen

Sie werden sich dabei vielleicht etwas unbeholfen fühlen, aber wenn Sie sich während einer Panikattacke ein ermutigendes, positives Mantra vorsagen, kann dies eine gute Möglichkeit sein, mit Stress umzugehen. Versuchen Sie, etwas so Einfaches zu wiederholen wie "Das ist nur vorübergehend. Mir wird es gut gehen" oder "Ich werde nicht den Löffel abgeben. Ich muss mich entspannen."

Entdecken Sie ein Objekt und konzentrieren Sie sich darauf

Suchen Sie sich einen Gegenstand aus, den Sie irgendwo vor sich sehen, und notieren Sie alles, was Ihnen an diesem Gegenstand auffällt - von der Schattierung und der Größe bis hin zu etwaigen Vorbildern, die er haben könnte, wo Sie vielleicht schon andere ähnliche Gegenstände gesehen haben, oder wie etwas anderes als der Gegenstand aussehen würde. Sie können dies in Ihrem Kopf tun oder Ihre Beobachtungen mit sich selbst oder einem Begleiter besprechen.

Schließen Sie die Augen

Manche Panikattacken werden durch Auslöser ausgelöst, die Sie überwältigen. Wenn Sie sich in einer schnelllebigen Situation mit vielen Verbesserungen befinden, kann dies Ihre Panikattacke lindern.

Um die Verbesserungen zu vermindern, schließen Sie während Ihrer Panikattacke die Augen. Dies kann alle zusätzlichen Verstärkungen ausblenden und es einfacher machen, sich auf Ihre Entspannung zu konzentrieren.

Stellen Sie sich Ihren fröhlichen Ort vor

Was ist der entspannendste Ort auf diesem Planeten, den Sie sich vorstellen können? Ein heller Meeresstrand mit sanft bewegten Wellen? Oder eine Hütte in den Bergen?

Stellen Sie sich vor, dass Sie dort sind, und versuchen Sie, sich auf die Feinheiten zu konzentrieren, so gut es eben möglich ist. Stellen Sie sich vor, wie Sie Ihre Zehen in den warmen Sand tauchen oder den scharfen Duft der Kiefern riechen. An diesem Ort sollten Sie zur Ruhe kommen und die Seele baumeln lassen.

Halten Sie eine strategische Distanz zu "Selbstberuhigung oder Medikamenten".

Versuchen Sie, eine strategische Distanz zur "Selbstberuhigung" zu wahren. Alkohol hilft nicht gegen Panikgefühle, sondern verschlimmert sie auf lange Sicht noch. Beruhigungsmittel haben hier und da einen äußerst flüchtigen Nutzen, doch sind sie auf längere Sicht nicht wertvoll und es ist alles andere als schwierig, abhängig zu werden. Seien Sie sich darüber im Klaren, dass einige Medikamente gegen Angstzustände süchtig machen können - lassen Sie sich bei allen Medikamenten stets klinisch beraten.

Sechstes Kapitel

ANGER

Die Emotion des Zorns ist nicht immer ein negatives Gefühl. Wut kann in mancher Hinsicht ein positives Ventil sein und sollte nicht ignoriert werden.

In jedem Fall ist eine innere Wut, die zu zerstörerischen Neigungen gegenüber sich selbst oder anderen führt und deren Quelle eine schmerzhafte Erfahrung ist, in keiner Weise gesund. Diese Art von Wut sollte bewältigt werden, bevor sie sich zu immer negativeren Begegnungen auswächst - die Wut ist schließlich Ihr Begleiter und enger Partner. Solange Sie dieses Gefühl nicht als einen Teil Ihres Wesens anerkennen können, werden Sie im Allgemeinen mit dem Gefühl der Wut ebenso auf Kriegsfuß stehen wie mit sich selbst. Sie sollten zunächst begreifen, dass Wut ein Abwehrgefühl ist, und danach überlegen, auf welche Weise Wut wertvoll und förderlich für Sie sein kann. Da der Zorn oder die Wut schnell aus Qual und Angst und später schließlich aus Liebe entsteht, sollten Sie darauf achten, dass dieser Zorn nicht von anderen wesentlichen Gefühlen abgekoppelt wird. Das ist der Punkt, an dem es gefährlich wird. Wenn du diese Grenze überschreitest, indem du über deine Gefühle oder die Gefühle eines anderen nachdenkst, kann deine Wut Qualen hervorrufen, entweder leidenschaftliche oder körperliche. Andererseits, wenn Sie für jede wütende Neigung, die Sie bekommen, eine Schnittstelle zur Liebe finden, wird die Wut im Allgemeinen nachlassen und Liebe und Sinn gewinnen.

Wut ist eines der grundlegendsten menschlichen Gefühle. Sie ist eine körperliche und seelische Reaktion auf eine Gefahr oder auf eine zuvor zugefügte Verletzung. Wut kann sich in den unterschiedlichsten Formen äußern, von Verärgerung bis hin zu blendender Wut oder Verachtung, die sich über viele Jahre hinzieht. Immer ist es eine Mischung aus körperlichen, geistigen und sozialen Komponenten, die uns zu einem bestimmten Gefühl veranlassen. Das ist bei jedem von uns anders. Unsere Gefühle werden von unserer leidenschaftlichen Verfassung beeinflusst, davon, wie wir die Welt sehen, was um uns herum geschieht, und von unseren Bedingungen. Wie andere Gefühle auch, zeigt sich Wut hin und wieder allein.

SORTE DES ZORNS

Unbeteiligte oder passive Wut

Personen, die sich unbeteiligt ärgern, verstehen vielleicht nicht, dass sie wütend sind. Wenn Sie unbeteiligte Wut empfinden, können sich Ihre Gefühle als Spott, Unnahbarkeit oder Unfreundlichkeit zeigen. Es kann sein, dass Sie sich für rücksichtslose Praktiken interessieren, z. B. die Arbeit schwänzen, sich von geliebten Menschen distanzieren oder in fachlichen oder sozialen Situationen unzureichend auftreten. Für Unberührbare wird es den Anschein haben, als würden Sie sich absichtlich selbst untergraben, auch wenn Sie es vielleicht nicht verstehen oder keine Möglichkeit haben, Ihre Aktivitäten zu klären.

Da inaktive Wut unterdrückt werden kann, kann es sehr wohl schwierig sein, sie wahrzunehmen; die Beratung kann Ihnen helfen, die Gefühle hinter Ihren Aktivitäten zu erkennen und das Objekt Ihrer Wut zu entlarven, damit Sie sie bewältigen können.

Gewalttätig oder aggressiv Wut

Menschen, die heftige Wut empfinden, sind sich in der Regel ihrer Gefühle bewusst, auch wenn sie in der Regel nicht begreifen, was wirklich hinter ihrer Wut steckt. Manchmal lenken sie heftige Wutausbrüche auf Ersatzhandlungen ab, da es zu schwierig ist, sich mit den wirklichen Problemen auseinanderzusetzen. Gewalttätige Wut zeigt sich regelmäßig als instabiler oder vergeltender Zorn und kann zu körperlichen Schäden an Eigentum und anderen führen. Um mit dieser Art von Wut umzugehen, muss man herausfinden, wie man die Auslöser wahrnimmt und die Anzeichen von Wut übersehen kann.

Durchsetzungsfähige Wut

Eine gute Methode zur Bewältigung von Ärger ist es, kontrolliert und selbstbewusst zu sein, zuzuhören und zu reden und offen für Hilfe bei der Bewältigung der Situation zu sein. Diese selbstbewusste Wut kann Assoziationen mit dem Wachsen unterstützen. Es bedeutet, dass man nachdenkt, bevor man spricht, dass man sich positiv äußert, aber auch offen und anpassungsfähig gegenüber der "Gegenseite" ist. Es bedeutet, Zurückhaltung zu üben, die Stimme nicht zu erheben, die eigenen Gefühle innerlich mitzuteilen und wirklich zu versuchen, die Gefühle der anderen zu verstehen. Wenn Sie mit Ihrem Ärger selbstbewusst umgehen, zeigen Sie, dass Sie erwachsen sind und sich um Ihre Beziehungen und sich selbst kümmern.

WIE WUT FUNKTIONIERT

Im Laufe unseres Lebens wägen wir ständig Umstände ab und entscheiden, wie wir sie bewerten: positiv oder negativ, geschützt oder gefährlich usw. Die Art und Weise, wie wir einen Umstand entschlüsseln, hat Auswirkungen darauf, wie wir uns dabei fühlen. Wenn wir denken, dass ein Umstand bedeutet, dass Sie in Gefahr sind, fühlen wir uns besorgt. Wenn es bedeutet, dass Ihnen Unrecht getan wurde, fühlen wir uns wütend. Diese Emotionen entscheiden auch darüber, wie wir auf den Umstand reagieren. Wir interpretieren die Auswirkungen schnell in Gefühle um. Bei Wut führt diese Schnelligkeit in manchen Fällen dazu, dass wir auf eine Weise reagieren, die wir später bereuen. Von dem Moment an, in dem wir gezeugt werden, beobachten wir Ereignisse, geben ihnen Bedeutungen und stellen eine Beziehung zwischen ihnen her. Aus unserer Erfahrung heraus finden wir heraus, wie wir jeden Umstand bewerten können.

DIE NATUR DES ZORNS

Wut ist ein enthusiastischer Ausdruck, der in seiner Stärke von sanftem Ärger bis hin zu extremer Wut und Zorn reicht. Wie bei anderen Gefühlen gibt es auch hier physiologische und natürliche Veränderungen. Wenn Sie wütend werden, steigen Ihr Puls und Ihr Kreislauf an, ebenso wie der Gehalt an Vitalitätshormonen, Adrenalin und Noradrenalin. Wut kann sowohl durch äußere als auch durch innere Anlässe hervorgerufen werden. Sie könnten sich über eine bestimmte Person (Kollegen oder Vorgesetzte in Ihrem Arbeitsumfeld) oder ein bestimmtes Ereignis (Autounfall, verpasster Flug) ärgern, oder Ihre Wut könnte durch Stress oder Qualen über Ihre Probleme ausgelöst werden. Erinnerungen an traumatische oder belastende Ereignisse können ebenfalls Wutgefühle auslösen.

WIE UNSER KÖRPER AUF WUT REAGIERT

Eine große Anzahl unserer Gefühle ist mit einer bestimmten körperlichen Reaktion verbunden. Wut bereitet die Psyche und den Körper auf Aktivität vor. Sie regt das sensorische System an, steigert den Puls, den Kreislauf, die Durchblutung der Muskeln, den Blutzuckerspiegel und das Schwitzen. Außerdem schärft sie die Fähigkeiten und steigert die Bildung von Adrenalin, einem Hormon, das bei Stress ausgeschüttet wird. Es wird angenommen, dass Wut gleichzeitig mit diesen körperlichen Veränderungen auch unsere Gefühle und Überzeugungen beeinflusst. Wenn wir zum ersten Mal mit einer Gefahr konfrontiert werden, ermutigt uns die Wut, komplexe Daten schnell in einfache Begriffe zu interpretieren: Richtig" oder "falsch" zum Beispiel. Dies kann in einer Krise hilfreich sein, da wir nicht viel Zeit mit dem Abwägen von Daten verbringen, die nicht unmittelbar unsere Sicherheit oder unseren Wohlstand beeinflussen. In jedem Fall kann es bedeuten, dass wir demonstrieren, bevor wir darüber nachgedacht haben, was sonst noch wichtig ist, und uns für eine ausgewogene Entscheidung über unser Handeln entschieden haben. Es kann sein, dass wir uns mehr Mühe geben müssen, um einen Blick auf die Situation zu werfen und sie unerwartet zu bewältigen. Wenn Wut das objektive Denken behindert, kann es sein, dass wir der Neigung nachgeben, gewaltsam zu handeln, weil wir den Drang verspüren, ein Risiko zu ertragen oder jemanden vor ihm zu schützen.

GRÜNDE, WARUM MENSCHEN WÜTEND WERDEN

Wutgefühle entstehen dadurch, wie wir bestimmte Umstände entschlüsseln und darauf reagieren. Jeder hat seine eigenen Auslöser für das, was ihn wütend macht, doch einige grundlegende erinnern sich an Umstände, für die wir Gefühle haben.

Menschen können Umstände unerwartet entschlüsseln, so dass eine Situation, die Sie dazu bringt, sich extrem verrückt zu fühlen, eine andere Person nicht unbedingt dazu zwingt, sich wütend zu fühlen (andere Reaktionen könnten zum Beispiel Unannehmlichkeiten, Schmerzen oder Ablenkung beinhalten). Wie dem auch sei, weil wir Dinge unerwartet entschlüsseln können, bedeutet das nicht, dass Sie die Dinge "falsch" interpretieren, wenn Sie in die Luft gehen.

Wie Sie einen Umstand entschlüsseln und darauf reagieren, kann von vielen Variablen in Ihrem Leben abhängen, unter anderem:

- Adoleszenz und Aufwachsen
- frühere Begegnungen
- aktuelle Bedingungen
- Verletzt
- Bedroht
- Nicht unter Kontrolle

Adoleszenz/Erziehung: Die Art und Weise, wie Sie aufgewachsen sind, und Ihr soziales Umfeld wirken sich mit Sicherheit darauf aus, wie Sie Ihre Wut ausdrücken können. Vielen Menschen werden in ihrer Jugend Botschaften über Wut vermittelt, die es ihnen erschweren, sie als Erwachsene zu beherrschen.

Vielleicht sind Sie so erzogen worden, dass Sie akzeptieren, dass es in jedem Fall in Ordnung ist, Ihre Wut zu zeigen, vielleicht mit Gewalt oder brutal, und dass Ihnen nicht beigebracht wurde, wie Sie sie verstehen und kontrollieren können. Das könnte dazu führen, dass Sie immer dann wütend werden, wenn es Ihnen nicht gefällt, wie sich jemand verhält, oder wenn Sie sich in einer Situation befinden, die Ihnen nicht gefällt.

Wie dem auch sei, wenn du die Wut deiner Eltern oder anderer Erwachsener gesehen hättest, wenn sie verrückt war, hättest du sie vielleicht als etwas Verderbliches und Beunruhigendes angesehen.

Vielleicht sind Sie aber auch so erzogen worden, dass Sie nicht jammern, sondern alles ertragen sollen, und wurden als Jugendlicher abgewiesen, wenn Sie Ihren Ärger zum Ausdruck brachten.

Solche Begegnungen können dazu führen, dass Sie Ihre Wut unterdrücken und diese zu einem langfristigen Problem wird, bei dem Sie unangemessen auf neue Umstände reagieren, mit denen Sie nicht zufrieden sind.

Frühere Begegnungen: Wenn Sie in der Vergangenheit bestimmten Umständen begegnet sind, die Sie wütend gemacht haben, z.B. Missbrauch, Verletzung oder Belästigung (entweder als Kind oder erst recht in letzter Zeit als Erwachsener), und Sie Ihren Ärger damals nicht sicher ausdrücken konnten, kann es sein, dass Sie sich jetzt an diese wütenden Gefühle gewöhnen. Das kann bedeuten, dass Sie derzeit bestimmte Umstände als besonders prüfend empfinden, die Sie zwangsläufig in den Wahnsinn treiben.

Manchmal bezieht sich Ihr gegenwärtiges Gefühl der Wut nicht ausschließlich auf die aktuellen Umstände, sondern kann auch mit einer vergangenen Begegnung identifiziert werden, was bedeuten kann, dass die Wut, die Sie in der Gegenwart empfinden, auf einer Ebene liegt, die Ihre vergangenen Umstände widerspiegelt.

Wenn wir uns dies bewusst machen, kann es uns helfen, Methoden zu finden, mit denen wir in der Gegenwart sicherer und weniger verzweifelt auf Umstände reagieren können.

Aktuelle Bedingungen: Falls Sie im Moment eine Menge verschiedener Probleme in Ihrem Leben zu bewältigen haben, kann es sein, dass Sie sich wütender fühlen als erwartet, oder dass Sie wegen irgendwelcher Dinge in die Luft gehen.

Wenn es etwas Bestimmtes gibt, das Sie dazu bringt, sich wütend zu fühlen, Sie sich aber nicht bereit fühlen, Ihre Wut auf legitime Weise mitzuteilen oder sie zu lösen, dann werden Sie vielleicht feststellen, dass Sie diese Wut bei verschiedenen Gelegenheiten zum Ausdruck bringen.

Wut kann ebenfalls ein Teil des Schmerzes sein. Wenn Sie jemanden verloren haben, der Ihnen sehr wichtig war, kann es sehr schwer sein, sich an all die widersprüchlichen Dinge anzupassen, die Sie fühlen.

Verletzen: Menschen sind regelmäßig entweder achtsam und liebevoll zu uns oder gemein und verletzend.

Bedroht: Wir fühlen uns bedroht, wenn unser eigener Charakter gefährdet ist, z. B. wenn wir als unangebracht, schrecklich, zweitklassig oder schwach angesehen werden könnten.

Wut beeinflusst verschiedene Teile des Körpers, darunter das Herz, das Großhirn und die Muskeln. Eine Untersuchung ergab, dass Wut ebenfalls zu einer Erhöhung des Testosteronspiegels und zu einer Verringerung des Kortikalspiegels führt.

Nicht die Kontrolle haben: Das Gefühl, die Kontrolle zu haben, ist ein typisches menschliches Bedürfnis, das für bestimmte Personen immer wichtiger wird.

Depression

Es ist ein Irrglaube, dass Depression bedeutet, ständig zu weinen und nicht aufzustehen". Eine ausgedehnte Griesgrämigkeit ist jedoch eine typische Ursache für Ärger.

Ängste

Menschen mit starken Ängsten fühlen sich häufig fast überwältigt, weil sie sich sehr anstrengen müssen, um mit ihrem inneren Begeisterungszustand fertig zu werden." Wenn also eine schwierige Situation auftaucht, kann es sein, dass man an seine Grenzen stößt, was sich in Form von Ärger oder einem Kurzschluss äußert.

Alkoholmissbrauch

Alkoholmissbrauch oder Alkoholismus bedeutet, dass man sofort oder regelmäßig viel Alkohol trinkt.

Die Forschung zeigt, dass Alkoholkonsum die Feindseligkeit steigert.

Alkohol schwächt Ihre Fähigkeit, unmissverständlich zu denken und ausgewogene Entscheidungen zu treffen. Er beeinflusst Ihre

Motivationskontrolle und kann es Ihnen erschweren, Ihre Gefühle zu kontrollieren.

Bipolare Störung

Die bipolare Störung ist eine psychische Störung, die emotionale Schwankungen im Gemüt verursacht.

Dieser extreme Gemütszustand kann von Wahnsinn bis hin zu Depressionen reichen, auch wenn nicht jeder Mensch mit einer bipolaren Störung eine Depression erlebt. In jedem Fall können viele Menschen mit bipolarer Störung Zeiten von Wut, Zorn und Zerrissenheit erleben.

Intermittierende Explosive Störung

Eine Person mit der intermittierenden explosiven Störung (IED) hat Szenen von heftigem, unüberlegtem oder bösartigem Verhalten aufgewärmt. Sie können über Bord gehen, um Umstände mit wütenden Unruhen, die außerhalb des Umfangs der Umstände sind.

Kummer

Trauer ist einer der Gründe für Wut. Der Tod eines Freundes oder Familienmitglieds, eine Trennung oder Scheidung von einem geliebten Menschen oder der Verlust des Arbeitsplatzes können Schmerz auslösen. Die Wut kann sich gegen die Person richten, die gestorben ist, gegen andere Personen, die mit dem Ereignis zu tun hatten, oder gegen leblose Dinge.

WIE WUT ZU GEWALT FÜHRT

Wut kann eine enorme Flut von Vitalität auslösen, die Sie dazu bringt, auf eine Art und Weise zu reagieren, die Sie normalerweise nicht tun würden. Wenn die Wut übermächtig wird, verwandelt sie sich in einen Zorn, der negative Auswirkungen auf Sie und Ihre Mitmenschen haben kann.

Wenn Sie unglaubliche Gefühle empfinden, kann dies ebenfalls wilde Emotionen auslösen. Diese Gefühle können durch übermäßigen Alkoholkonsum oder Drogenmissbrauch noch verstärkt werden und führen unweigerlich zu Wildheit.

Die Folgen, wenn Sie Ihre Wut in Brutalität umwandeln lassen, machen es für Sie immer wichtiger, die Kontrolle zu behalten und Unterstützung im Umgang mit Ihren Emotionen zu finden.

AUSWIRKUNGEN VON ÄRGER

Unaufhörliche Wut, die ständig ausbricht oder in eine Spirale des Wahnsinns mündet, kann negative Auswirkungen auf Ihr Leben haben:

Es schwächt Ihr Immunsystem.

Wenn Sie ständig verzweifelt sind, könnten Sie sich umso häufiger geschwächt fühlen. In einer Untersuchung fanden Forscher der Harvard University heraus, dass bei zuverlässigen Personen allein die Erinnerung an eine wütende Begegnung aus ihrer Vergangenheit zu einem sechsstündigen Abfall des Immunoglobulin A, der ersten Abwehrlinie der Zellen gegen Krankheiten, führte.

Körperliches Wohlbefinden

Wenn Sie ständig mit einem hohen Stress- und Ärgerpegel arbeiten, werden Sie zunehmend anfälliger für Herzkrankheiten, Diabetes, ein geschwächtes Sicherheitsgefüge, Schlafstörungen und Bluthochdruck.

Psychologisches Wohlbefinden

Chronischer Ärger verbraucht viel geistige Vitalität und vernebelt das Denken, so dass es schwieriger wird, sich zu konzentrieren oder das Leben zu schätzen. Sie kann auch zu

Stress, Niedergeschlagenheit und anderen psychologischen Problemen führen,

Beruf oder Karriere

Konstruktive Analysen, innovative Gegensätze und hitzige Diskussionen können gesund sein. Wenn Sie jedoch um sich schlagen, entfremden Sie Ihre Mitarbeiter, Vorgesetzten oder Kunden und verlieren deren Respekt,

Beziehungen

Wut kann bei Ihren Lieben bleibende Narben hinterlassen und Freundschaften und Arbeitsbeziehungen behindern. Gefährliche Wut macht es anderen schwer, sich Ihnen anzuvertrauen, ehrlich zu reden oder sich gut zu fühlen - und ist besonders schädlich für junge Menschen.

Wenn Sie jähzornig sind, haben Sie vielleicht das Gefühl, dass Sie es nicht mehr in der Hand haben und dass Sie wenig tun können, um den Zorn zu zähmen. In jedem Fall haben Sie mehr Macht über Ihre Wut, als Sie vielleicht vermuten. Wenn Sie die guten Gründe für Ihre Wut und die Instrumente des Wutbretts kennen, können Sie herausfinden, wie Sie Ihre Gefühle ausdrücken können, ohne andere zu verletzen, und Ihr Temperament davon abhalten, Ihr Leben zu beherrschen.

SYMPTOME VON WUT

Wut verursacht auch einige körperliche und emotionale Symptome. Es ist zwar durchaus zu erwarten, dass diese Symptome gelegentlich auftreten, aber bei Personen mit Wutproblemen treten sie im Allgemeinen umso häufiger und in einem immer extremeren Ausmaß auf.

Unterbrechung

Wütende Menschen sind im Allgemeinen ungeduldig. Häufig ist es ihnen lästig, darauf zu warten, dass andere das Gesagte beenden. Und wenn sie die anderen ausreden lassen können, hören sie vielleicht gar nicht zu, sondern tun nur so, als ob.

Ein Beschwerdeführer sein

Personen, die viel Energie darauf verwenden, sich über die Übertretungen und Unzulänglichkeiten anderer Personen zu beschweren, haben möglicherweise ein Wutproblem".

Reizbarkeit

es ist eine unnötige Reaktion auf Reize. Der Begriff wird sowohl für die physiologische Reaktion auf Reize als auch für die zwanghafte, seltsame oder übertriebene Erregbarkeit auf Reize verwendet; er wird im Allgemeinen in Anspielung auf Ärger oder Enttäuschung verwendet. Reizbarkeit kann sich in Verhaltensreaktionen sowohl auf physiologische als auch auf Verhaltensreize äußern, einschließlich natürlicher, situativer, soziologischer und leidenschaftlicher Reize.

Groll hegen

Beziehungen können Bestand haben, wenn es jemandem schwerfällt, jemandem zu vergeben, der ihm/ihr in der Vergangenheit Unrecht getan hat. Und Menschen mit Wutproblemen haben häufig Schwierigkeiten, genau das zu tun.

Stattdessen erleben sie die Frustration, den Hass und den Schmerz jedes Mal aufs Neue, wenn sie sich an einen unangemessenen Vorfall erinnern - egal ob gesehen oder real.

Muskelbelastung

Handelt es sich um eine Dehnung oder einen Riss von Muskelfasern? Die meisten Muskelzerrungen haben einen von zwei Gründen: Entweder wurde der Muskel über seine

Belastungsgrenze hinaus gedehnt, oder er wurde gezwungen, sich zu stark zusammenzuziehen. In leichten Fällen sind nur ein paar Muskelfasern gedehnt oder gerissen, und der Muskel bleibt makellos und fest. In schweren Fällen kann der überlastete Muskel jedoch gerissen sein und nicht mehr richtig funktionieren.

Rot im Gesicht

Wenn man wütend wird, bekommt man einen Gesichtsausdruck - und das gilt sowohl für emotionale "Hitze" als auch für heiße Temperaturen, die auf einem Thermometer gemessen werden. Wut kann auch dazu führen, dass man schwer atmet, zappelt und auf jeden Fall hin und her läuft.

Wut wirkt sich sowohl auf den Körper als auch auf den Geist aus. Tatsächlich haben verschiedene Untersuchungen ergeben, dass wütende Menschen eher an Bluthochdruck leiden und einen Schlaganfall oder Herzinfarkt erleiden.

Rufen Sie

Dies ist die Handlung, mit Frustration zu sprechen und mit lauter Stimme zu sprechen, oft so ungestüm, wie es klug wäre, normalerweise, wenn man sich unter lauten Umständen verständlich machen muss, oder wenn die Person, mit der man sich unterhält, weit weg ist oder nicht gut hören kann, und es kann zu Konflikten führen.

Übermäßig empfindlich sein

Verärgerte Menschen sind schnell beleidigt. Bemerkungen, über die andere vielleicht lachen, können jemandem, der ein wütendes Auftreten hat, unter die Haut gehen. Einige Menschen mit einem Wut-"Problem" sind übermäßig wachsam und warten immer darauf, dass andere einen Fehler machen.

Kaltblütig sein

Wütende Menschen neigen dazu, nicht besonders mitfühlend oder einfühlsam zu sein. Manche freuen sich über das Unglück anderer - ein Vorfall, der als Schadenfreude bekannt ist. Und manche verurteilen schnell und loben erst spät.

AUSWIRKUNGEN VON ÄRGER

Körperliche Auswirkungen von Wut

Wut löst die "Kampf- oder Flucht"-Reaktion des Körpers aus. Zu den verschiedenen Gefühlen, die diese Reaktion auslösen, gehören Angst, Energie und Unbehagen. Die Nebennierenorgane überschwemmen den Körper mit Druckhormonen, z. B. Adrenalin und Kortikalis. Das Großhirn leitet das Blut in Erwartung einer körperlichen Anstrengung vom Darm weg in die Muskeln um. Puls, Kreislaufbelastung und Atmung nehmen zu, der innere Wärmewert steigt und die Haut schwitzt. Die Psyche wird geschärft und zentriert.

Gesundheitliche Probleme mit Wut

Der ständige Anstieg der Drucksynthese und die damit verbundenen Stoffwechselveränderungen, die mit ständiger unkontrollierter Wut einhergehen, können auf lange Sicht verschiedene Strukturen des Körpers schädigen.

Ein Teil der kurz- und langfristigen Gesundheitsprobleme, die mit unkontrollierter Wut in Verbindung gebracht werden, sind:

- Kopfschmerzen
- Verdauungsprobleme, zum Beispiel Magenbeschwerden
- Schlaflosigkeit
- Erhöhte Nervosität
- Depression

- Hohe Belastung des Kreislaufs
- Hautprobleme, zum Beispiel Dermatitis
- Herzinfarkt
- Schlaganfall

WIE MAN WUT ÜBERWINDET

Sind Sie bereit, Ihre Wut in den Griff zu bekommen? Beginnen Sie mit diesen Tipps zur Wutbewältigung.

Erst denken, dann sprechen

Im Moment des Ärgers ist es leicht, etwas zu sagen, das man später bereut. Nehmen Sie sich ein paar Sekunden Zeit, um Ihre Überlegungen oder Gedanken zu sammeln, bevor Sie etwas sagen - und erlauben Sie anderen, die an der Situation beteiligt sind, dies ebenfalls zu tun.

Wenn Sie sich beruhigt haben, drücken Sie Ihre Wut aus.

Sobald Sie wieder klar denken können, drücken Sie Ihre Frustration auf eine selbstbewusste, aber nicht konfrontative Weise aus. Äußern Sie Ihre Bedenken und Bedürfnisse klar und direkt, ohne andere zu verletzen oder zu versuchen, sie zu kontrollieren.

Eine Verschnaufpause einlegen

Wenn Sie wütend werden, kann Ihre Atmung flacher werden und sich beschleunigen. Sie können diesen Trend (und Ihre Wut) umkehren, indem Sie einige Augenblicke lang mäßig durch den Mund ausatmen und voll durch die Nase einatmen.

Bewegen Sie sich

Körperliche Aktivität kann dazu beitragen, den Stress abzubauen, der dazu führen kann, dass Sie die Kontrolle verlieren. Wenn Sie spüren, dass Ihre Wut eskaliert, gehen Sie zügig spazieren oder laufen oder investieren Sie Energie in andere angenehme körperliche Aktivitäten.

Durch Entspannung der Muskeln

Bei der dynamischen Muskelentspannung müssen Sie nacheinander verschiedene Muskelgruppen in Ihrem Körper anspannen und allmählich entspannen. Während Sie anspannen und entspannen, atmen Sie moderat und bewusst.

Nehmen Sie sich eine Auszeit

Auszeiten sind nicht nur etwas für Kinder oder Jugendliche. Gönnen Sie sich kurze Pausen zu Zeiten des Tages, die eher stressig sind. Ein paar Sekunden Ruhe können Ihnen helfen, sich besser auf das vorzubereiten, was vor Ihnen liegt, ohne gereizt oder wütend zu werden.

Identifizieren Sie einige mögliche oder potenzielle Lösungen

Konzentrieren Sie sich nicht auf das, was Sie wütend oder ärgerlich macht, sondern arbeiten Sie daran, das Problem zu lösen, um das es geht. Macht Sie das chaotische Zimmer Ihres Kindes verrückt? Schließen Sie den Eingangsbereich. Kommt Ihr Partner ständig zu spät zum Essen? Planen Sie die

Mahlzeiten später am Abend - oder vereinbaren Sie, dass Sie einige Male in sieben Tagen allein essen. Erinnern Sie sich daran, dass Wut nichts reparieren kann und die Sache nur noch bedauerlicher machen könnte.

Wiederholen Sie ein Mantra

Finden Sie einen Satz oder ein Wort, das Ihnen hilft, sich neu zu konzentrieren und zu beruhigen. Sagen Sie dieses Wort immer wieder zu sich selbst, wenn Sie wütend sind. "Entspannen Sie sich", "Das wird schon wieder" und "Ganz ruhig" sind echte Beispiele.

Intellektuell entkommen

Gehen Sie in einen ruhigen Raum, schließen Sie die Augen und üben Sie, sich selbst in einer entspannenden Szene zu visualisieren. Konzentrieren Sie sich auf Details in der imaginären Szene: Wie groß sind die Berge? Wie hört sich das Zwitschern der Vögel an? Diese Übung kann Ihnen helfen, inmitten von Ärger Ruhe zu finden.

Begrenzen Sie Ihr Wort

In dem Moment, in dem Sie wütend sind, könnten Sie dazu verleitet werden, wütende Worte loszulassen, aber Sie werden damit eher Schaden anrichten als Gutes tun. Tun Sie so, als ob

Ihre Lippen zugeklebt wären, so wie Sie es als Kind getan haben. Einige Momente, in denen Sie nicht sprechen, geben Ihnen Zeit, Ihre Gedanken zu sammeln.

Bleiben Sie bei "Ich"-Aussagen

Um Schuldzuweisungen oder Kritik zu vermeiden - was die Spannungen nur noch verstärken könnte - verwenden Sie "Ich"-Aussagen, um das Problem zu beschreiben. Seien Sie konkret und respektvoll. Sagen Sie zum Beispiel: "Ich ärgere mich, dass du den Tisch verlassen hast, ohne anzubieten, beim Abwasch zu helfen", anstatt: "Du machst nie Hausarbeit".

Hegen Sie keinen Groll

Vergebung ist ein unglaubliches Gut. Wenn Sie zulassen, dass negative Gefühle und Wut die positiven Gefühle verdrängen, könnten Sie von Ihren Gefühlen oder der Bitterkeit über die Ungerechtigkeit verschlungen werden. Wenn Sie aber in der Lage sind, jemandem zu vergeben, der Sie verärgert hat, können Sie beide aus der Situation lernen und Ihre Beziehung stärken.

Verwenden Sie Humor, um Spannungen abzubauen

Auflockerung kann helfen, Spannungen abzubauen. Humor hilft dabei, sich mit dem auseinanderzusetzen, was Sie wütend macht, und möglicherweise auch mit unrealistischen

Erwartungen, wie die Dinge laufen sollten. Vermeiden Sie Sarkasmus, denn er kann Gefühle verletzen und die Dinge noch bedauerlicher machen.

Entspannungsübungen

Wenn Ihre Emotionen aufflammen, setzen Sie Entspannungsübungen ein. Machen Sie tiefgreifende Atemübungen, stellen Sie sich eine entspannende Szene vor oder wiederholen Sie ein beruhigendes Wort oder einen Satz, z. B. "Nimm's leicht". Sie könnten in ein Tagebuch schreiben, Musik hören oder ein paar Yogaübungen machen - was auch immer Sie tun, um die Entspannung zu fördern.

Wissen, wann man Hilfe braucht

Zu lernen, wie wir unsere Emotionen kontrollieren können, ist für jeden eine Herausforderung. Holen Sie sich Rat bei Wutproblemen. Wenn Ihre Leidenschaft außer Kontrolle zu sein scheint, kann sie dazu führen, dass Sie Dinge tun, die Sie bereuen oder die Ihr Umfeld verletzen.

Vergebung

Vergebung ist immer wichtig; wenn sich jemand entschuldigt oder darum gebeten hat, dass er Sie wütend gemacht hat, oder wenn Sie erkennen, dass die Situation "es nicht wert ist", seien Sie bereit, zu vergeben. Und seien Sie bereit, sich selbst zu vergeben und zu verzeihen! Das wird Ihnen helfen, sich zu beruhigen und Ihre Beziehungen zu anderen zu verbessern.

Einfühlungsvermögen üben

Versuchen Sie, sich in die Lage der anderen Person hineinzuversetzen und die Situation aus ihrer Perspektive oder Erfahrung zu sehen. Wenn Sie die Geschichte erzählen oder die Ereignisse aus der Sicht des anderen nacherleben, gewinnen Sie vielleicht ein anderes Verständnis und werden weniger wütend.

Drücken Sie Ihren Ärger aus

Es ist in Ordnung zu sagen, was Sie fühlen, solange Sie es richtig verarbeiten können. Bitten Sie einen vertrauenswürdigen Freund, Ihnen dabei zu helfen, verantwortungsbewusst und ruhig zu reagieren. Wutausbrüche lösen keine Probleme, aber ein reifer Dialog kann dazu beitragen, Ihren Stress abzubauen und Ihren Ärger zu lindern. Es kann auch die Zukunft verhindern.

Lachen

Nichts überwindet einen schlechten Gemütszustand so gut wie ein anständiger Gemütszustand. Lenken Sie Ihren Ärger ab, indem Sie nach Möglichkeiten suchen, zu lächeln, sei es beim Spielen mit Ihren Kindern, beim Ansehen von Stand-up-Shows oder beim Scrollen durch Bilder.

Dankbarkeit üben

Nehmen Sie sich einen Moment Zeit, um sich auf das zu konzentrieren, was richtig ist, wenn sich alles falsch anfühlt. Wenn Sie sich bewusst machen, wie viele positive Dinge Sie in Ihrem Leben haben, können Sie Ihren Ärger neutralisieren und die Situation umkehren.

Gesprächstherapie und Beratung

Dazu gehört, dass Sie mit einer geschulten Fachkraft (z. B. einem Berater oder Psychotherapeuten) über Ihre Probleme sprechen, die Ihnen dabei helfen kann, die Ursachen Ihrer Wut zu erforschen und Wege zu finden, mit ihr umzugehen. Dies kann Ihnen helfen, Ihre Gefühle zu verarbeiten und Ihre Reaktionen auf Situationen, die Sie wütend machen, zu verbessern.

Milton Keynes UK
Ingram Content Group UK Ltd.
UKHW020123221024
449869UK00010B/426

9 781803 622224